「地域おこし協力隊」は何をおこしているのか？

移住の理想と現実

田口太郎

星海社
299
SEIKAISHA SHINSHO

はじめに

振り返ると、2023年は「田舎」そして「地域おこし協力隊」炎上の年となってしまったと言えるかもしれません。

年初には福井県池田《いけだ》町の広報誌で移住者へ向けた提言として出された「池田暮らしの七か条」の内容に「上から目線」などと各所から批判が集まりました。七か条には「都会風を吹かさないよう心がけてください」「品定めされることは自然です」といった文言が並び、テレビ番組などでも多く取り上げられたので覚えている方も多いかもしれません。

ほどなくして、今度は動画共有サイトに投稿された1本の動画が話題に。田舎への移住者による「【移住失敗】色々ありすぎて引っ越すことになりました#31」と題された動画は再生回数が600万回を超え、田舎に関心のある層を超えて広く一般に広がりました。福井県池田町と同じように「閉鎖的な田舎」「古い価値観の田舎」といった批判が各所であがり、大きな話題となったのです。

この騒動が落ち着いたか、といったタイミングで、今度は移住者が経営するカフェが突然に立ち退きを要求された経緯がＳＮＳで大きく拡散。この件では誹謗中傷を超えて、誘拐予告や爆破予告が届き、警察沙汰にまでなってしまいました。

これまでも田舎の閉鎖性については言及されてきましたが、ＳＮＳという高速で拡散されるツールの普及によって、これまでこうした話題にあまり関心を持っていなかった人びとまで広まったことで、一部の過激な行動を取る人たちにまで伝わり、その後の誹謗中傷、脅迫などにつながったと言えるでしょう。

「２０２３年は『炎上の年』となってしまった」と言いましたが、私は２０２３年に限って多くトラブルが発生したとは思っていません。２０２３年にこれまでもあったようなトラブルが特に広く拡散されたという理解が現実的なところではないでしょうか。

私は研究のため多くの町や村に足を運び、実態を見てきました。過去にも地域住民と移住者のトラブルはあったものの、当事者には発信するすべがなく、泣き寝入りせざるを得なかったことも多くありました。

また、ＳＮＳなどでの拡散は被害者による加害者の告発の形態を取りがちですが、一方の側からのみの発信であるため、その是非の判断は難しいものです。農村社会に都市部から人が入るということは、異なった生活背景を持つ人びとが出会う機会となり、双方にとって小さくない変化をもたらします。

このようなトラブルも「田舎VS都市」として捉えられがちですが、そもそも「田舎」とはどういう地域なのか、という定義もはっきりしない中で、人口減少が進む農山村を「田舎」として一括りにまとめてしまい、地域それぞれの事情には関心が払われない中で「田舎とはこういうところ」という前提で拡散されているように感じます。トラブルの詳しい内容は第1章でふれますが、こうした事態の数々は、まさに「炎上」でした。

海外でも起きている、移住者と地域住民の軋轢《あつれき》

日本だけで移住者の問題が起きている、と認識していらっしゃる方もいるかもしれません。そんな読者の方々に観ていただきたい映画があります。2022年に第35回東京国際映画祭のグランプリを受賞し、2023年に日本でも公開されたスペイン人監督による映画、邦題『理想郷』。作品のテーマは移住者と地域住民の軋轢であり、実際にスペインで起

こった事件をもとにした映画です。

私は映画のパンフレット用に原稿を依頼されて映画を観てみたのですが、日本でも大いに起こりうる事象を、迫力をもって伝える名作であると感じました。作品では、外からある地域にやってきた移住者と地域にいる人びとのちょっとした行き違いが大きくなり、凄惨な事件へと発展していきます。ここでも日本の炎上トラブルと同じく、永く地域に暮らす人びとの感覚と、理想を求めてやってきた移住者の感覚のズレがそもそもの引き金となっています。

移住者の問題は世界中どこででも起こりうることが、この映画を観るとおわかりいただけると思います。軋轢はときに、炎上以上の厄災をもたらすことさえあるのです。

こうした移住者と地域住民のズレの原点は、移住者はさまざまな選択肢の中からその地を〝選択〟しているのに対して、地元の住民は地域を〝選択できずに〟住んでいるところにあります。前者はポジティブな印象を持っているのに対して、後者は選択する機会がなく比較対象も少ないためどうしてもネガティブな印象を持ちがちです。ここに小さなズレの発端があるのです。

ポジティブに地域を見ている側は地域の資源に可能性を見出し、それを利用することで豊かになっていくのに対して、ネガティブに見ている側はそれ故に活路を見出しにくい。それぞれが自身の地域への評価を強く自認し、互いの地域に対する感覚の違いを理解していないために不信感へとつながってしまいます。お互いにわかったつもりでいるものの相互理解が不足している、ということから生まれる軋轢が、世界中で起きているのです。

日本だから、特定の地域だから、問題が起きるのだという見方で問題を捉えてしまうと、事態を改善することは難しくなります。移住者と地域住民のあいだには問題が起きる可能性があるのだと認識した上で、どう取り組むのかが大切です。

「地域おこし協力隊」は公共事業であるがゆえに軋轢が起きやすい

近年の炎上でたびたび話題になるのが「地域おこし協力隊」である点は、大きな問題だと考えています。冒頭で炎上の事例として挙げた3件のうち、個人が情報発信した2件は地域おこし協力隊が関係しています。

「地域おこし協力隊」とは、都市部の住民が地方に移住し、〝地域協力活動〟に従事する取り組みで、２００９年に始まりました。総務省が主導している制度です。この地域おこし協力隊が各地で活躍する事例が多くなってきたことから、令和5年度で約7000人いる協力隊を、2026年までに1万人に増やすという目標を、現在政府は掲げています。

都市から地方へ多くの若者が移住し、地域を盛りあげる活動に励むのは素晴らしいことであり、それを国が支援することも素晴らしい、というのが多くの方の印象ではないでしょうか。そして、移住したくともなかなか地方で仕事が得られない中で、「地域おこし」という仕事を国が支援したことは、地方移住に関心を持つ人びとの背中を大いに押しました。これは事実です。

ただ一方で、地域の側から見ると少し異なった印象を受ける人もいます。というのも、この事業は〝国が支援する事業〟だからです。つまり公共事業。特別交付税という自治体の一般財源ではない特殊な財源ではあるものの、国民から集められた税金で活動が支えられている公共事業であるため、地域住民からすれば公共的な価値、つまり多少なりとも自分たちにも利益がある活動であるかという視点で見てしまいます。しかし着任した協力隊自身は「移住・定住」に向けた取り組みと考えている面もあり、都市部での仕事ではなかなか得られなかった充実感を得られる〝自主的な地域協力活動〟と捉えがちです。

また、各自治体が定めている人件費である報償費（2024年度からこれまでの制度が拡充され、年間320万円、スキルや地理的条件を考慮したうえで、最大420万円まで特別交付税措置の対象）は、都市部の人びとにとっては特段大きな人件費と感じないかもしれませんが、地方の若者からすれば〝いい給料〟です。にもかかわらず、主たる仕事は地域協力活動、地域おこし活動であり、地域住民からすると、自分たちが普段余った時間を利用して無償でやってきたことに似ているようにも見えてしまう。活動が独りよがりだと捉えられてしまえば、当然反発も生まれます。どうしても「地域おこし協力隊」の活動への評価は厳しくなりがちで、通常の移住とはまた違う軋轢が生じやすいのです。

こうした微妙な関係の中で、協力隊と地域住民とのコミュニケーションが不足すると、双方のネガティブな印象はますます強くなり、限界に達した移住者側が地域への不満をSNSで広く拡散してしまう、という事態に発展します。

ではなぜ、地域側からトラブルについて発せられることが少ないのか。常に地域側に過失があるわけではなく、簡単に言えば、発信するスキルを持っているかどうか、または気持ちが追い詰められているかどうか、といった差ではないでしょうか。外から移住し、〝地域協力活動〟が自らの収入を支えている協力隊は、周辺に親身になって相談に乗ってくれる〝味方〟が当然少なく、地域側のネガティブな発言を非常に重く受け止めてしまい、気持ちが追い込まれやすい立場でもあるのです。

一方で「協力隊は公共事業」と先に書きましたが、「公共事業」というのは文字通り公益性を目的とした事業であるため、協力隊の取り組みにも常に公益性とのつながりを説明する必要が生じます。そのため、公益性に対して強く意識することが求められるのですが、協力隊の募集要項や担当職員の認識の中にそれが十分示されているかというと、なかなかそうはなっていない現実があります。だからこそ、着任する協力隊がさほど公益性を重視しなくなってしまう、という悪循環が起きている側面もあるのです。

もちろん、「地域おこし協力隊」によって、地域が活力を取り戻し〝おきる〟ことができたケースもたくさんあります。ただそればかりではなく、さまざまな軋轢を〝おこして〟しまったことも事実です。「地域おこし協力隊」という制度は、これまで何もなかった地域によい面、悪い面を含めてさまざまな変化を〝おこして〟きたと言えるでしょう。

自治体にとって自由度が高い協力隊の制度

私はこの制度が始まった当初から総務省を始めとした関係機関と意見交換し、協力隊員向けの研修プログラムの企画や実施などをしています。制度の発足当初から見てきているだけに、協力隊の活躍を頼もしく感じたり、炎上してしまった事例については歯がゆく思ったりしていました。

ここまで、炎上の実例から問題点を述べてきましたが、地域おこし協力隊は基本的には素晴らしい制度だと私は考えています。というのも、以前から政府による地域施策は〝紐付き補助金〟と言われ、かなり限定的な使い方しかできませんでした。それぞれの地域が自分たちのやりたいことに補助金を使えるよう、自分たちの取り組みを政府の補助メニュー側に寄せることでなんとか支援を受けてきました。そのため、ただでさえ人員や資源が限られている地域では効率的にものごとを進めることが大切にもかかわらず、資金を得るためには不要な活動までせざるを得ない、というのが実情でした。

その点、地域おこし協力隊は導入する自治体にとって非常に自由度の高い制度と言えるでしょう。制限といえば、都市地域から過疎地域への移住（住民票の移動）と、任期最大3年であることくらいで、あとの裁量権は導入する自治体に任されています。「地域おこし」の部分である「地域協力活動」の中身についても、それぞれの地域の実態に合わせて決めていい。つまり、それぞれの地域が自分たちに必要な人材を導入する際に制度上の縛りがほとんどないのです。

地域に根を下ろし、地域のことを真剣に考えている人びとが、それぞれ「どうしたら地域がよくなるか」を考えて使える制度。地域をよりよいものにできる大きな可能性を秘めています。また制度自体もどんどん時代に合わせて変化し続けています。

都会で育ち、田舎で暮らしている研究者の眼差し

コロナ禍を経て人びとの価値観にも変化があり、以前よりも移住を考える方が増えました。地域おこし協力隊も、政策として人員を増加させようとしていますし、実際に関心を持つ人も増えています。そうした中で今、地方や農村を扱う書籍も多数出版されています。ところが、特に最近刊行されている地方創生やソーシャルなまちづくりを扱う書籍は、都市側から、つまり外側からの視点で書かれたものが多く、地域側からの視点が不足してきた面は否めません。

では地方側からの視点はどうかというと、全国的なメディアよりも地域それぞれのコミュニケーションの中で語られるに過ぎませんでした。

本書では、都市と地域の両方の視点から、地域おこし協力隊について語っていきます。

私は地域計画を専門とする研究者ですが、同時にいわゆる「田舎」に移住した移住者でもあります。つまり田舎の居住者という視点と、さらに研究的視点の両方でさまざまな地域づくりを見てきている、という立場です。今でこそ徳島県の小さな村で古民家に家族とともに暮らしていますが、もともとは神奈川県茅ヶ崎《ちがさき》市生まれ。一時は父の仕事の関係で海外にいたものの、大学に入学するまでは茅ヶ崎市で生活していました。大学進学と同時に東京に移り住み、大学では建築学を学び、都市計画を専攻する研究室に所属していました。

大きな転機は卒業論文を提出した後、指導教員の先生や先輩に誘われて、現在でも日本でもっとも人口の少ない「町」である山梨県早川《はやかわ》町に伺ったことでした。

1998年当時、人口が2000人前後にまで減ってしまった早川町と以前から関わりを持っていた指導教員は、私たち学生にこんなことを言います。

「2000人しか町人が居ないのだから、全員を紹介するホームページがあったら面白い」

それに賛同した私は、早川町で「2000人のホームページ」(http://www.joryuken.net/2000/)を作成すべく、第1回目の調査対象となった赤沢集落の家々を一軒ずつ訪問し、話を伺っていくことになりました。

湘南海岸で育ち、東京で大学生活を送っていた私から見て、早川町は風景からして衝撃そのものでした。深い山々のあいだに流れる早川沿いに点在する集落。V字谷の底にあるため、日中でもすぐに日は沈んでしまいます。こうした環境にある地域の暮らしや生活の知恵に大きな衝撃を受けたのです。

私は東京郊外で「消費」を中心とした生活を営んで、さまざまなサービスを受けてきました。早川町では、農作物もつくれば、道具も自分たちでなおします。そういう暮らし方に圧倒的なかっこよさを感じ、以降田舎に住み、彼らの仲間となることに憧れていました。

徳島大学への赴任と同時に、田舎への移住を検討し始めて、2015年に晴れて村人に。かつて衝撃を受けた匠《たくみ》には程遠いものの、地域での暮らしを続けながら大学で地域づくりについて研究し教鞭を執っています。

実際に田舎で暮らしてみると、研究者として今までわかっていなかったことがあると気づきました。外からの視点では見えてこなかったことがたくさんあるのです。

本書では、都市と田舎の両方のリアルを知っている私なりの視点から、都市から多くの若者が移住し、取り組んでいる「地域おこし協力隊」に着目し、都市と地方の軋轢の要因を探りつつ、これからの地域社会の方向性までを論じてみたいと思います。

目次

第2章　地域おこし協力隊とは

第３章　なぜ協力隊にばかり注目が集まるのか？

第4章　協力隊は、何をおこすのか？

「地域振興」を再考する　131

第5章　地域自治の再生と人的支援の考え方

第1章

地域おこし協力隊は なぜ炎上してしまうのか

地域おこし協力隊がもつ公共事業という側面については先述の通りです。公共事業であるために期待される公益的活動ですが、協力隊として着任している人たちの中にはその認識に大きな温度差があります。実際、協力隊の募集内容を見ると、公共事業という雰囲気はほとんど感じられず、「田舎で自己実現！」というような雰囲気。こうした矛盾が、協力隊を受け入れる側の地域と、地域に入っていく側の協力隊のズレになります。

協力隊を受け入れる地域にも思いがあり、着任する協力隊自身にも思いがあります。それぞれが強い思いを持って地域おこし協力隊が成り立っているのです。「地域おこし」自体、多様な捉え方ができることもあり、曖昧な概念にそれぞれが自由に強い思いを向けているため、当然のことながらズレてしまう。そしてそのズレを解消しないままに協力隊の活動が進んでいくと、それは軋轢となり、昨今話題となっている炎上へと発展していってしまうのです。

本章では、炎上の詳細と、炎上に至る社会的背景、それぞれの思いのズレなどについて解説してみようと思います。

さまざまな軋轢と社会の反応

・福井県池田町の場合

2023年1月、福井県池田町の広報誌に、「池田暮らしの七か条」が掲載されました。一般には町内会長と認識したほうがわかりやすい区長の連合体である「区長会」が移住者向けに提言したものです。これがSNSなどで拡散され、批判の対象となりました。中でも注目されたのが「多くの人々の注目と品定めがなされていることを自覚してください。」というフレーズ。「上から目線」や「監視社会」として批判されてしまいました。

確かに、移住者からしてみれば「品定めされている」と感じたら居心地がいいはずもありません。しかし、この提言の前文には「移住者、地元民双方が『知らない、聞いてない』『こんなはずではなかった』などによる後悔や誤解からのトラブルを防ぎたい」とあります。提言を出した区長会側としては、移住者を否定するというよりも、地域社会と移住者のよい関係づくりを願ってしたことと理解することができます。では、なぜこのような表現となってしまったのでしょうか。

「郷に入《い》っては郷に従え」ということわざがあります。福井県池田町のように、農業をベ

区長会より「池田町集落連携事業」として提言されました

昨年12月、区長会は池田町の風土や人々に好感をもって移り住んでくれる方々のための心得として「池田暮らしの七か条」を提言するとともに、移住転入された方々とのミスマッチやトラブル防止のための「集落共同体 暮らしのテキスト」を作成することとしました。

「集落共同体 暮らしのテキスト」については、各集落ごとに作成し地域に沿ったものとします。

池田暮らしの七か条

第1条　集落の一員であること、池田町民であることを自覚してください。

- 総人口の少ない池田町ではありますが、私たちは33の集落において相互扶助を土台に安全で豊かな共同社会を目指しています。

第2条　参加、出役を求められる地域行事の多さとともに、都市にはなかった面倒さの存在を自覚し協力してください。

- 池田町の風景や生活環境の保全、祭りなどの文化の保存は、集落毎に行われる共同作業や集落独自の活動によって支えられています。共同して暮らす場を守るためにも参加協力ください。
- 草刈り機は必需品です、回を重ね使い込むことで技術上達が図れます。
- このことを「面倒だ」「うっとうしい」と思う方は、池田暮らしは難しいです。

第3条　集落は小さな共同社会であり、支え合いの多くの習慣があることを理解してください。

- 生活の基盤は集落であり、長い年月に渡って様々な行事や集まりを通して暮らしを支えてきました。

第4条　今までの自己価値観を押し付けないこと。また都会暮らしを地域に押し付けないよう心掛けてください。

- 集落での生活は、ご近所などとの密な暮らしの日々があります。都市では見られなかったルールや仕組みもありますが、皆で折り合いを付けながら培ってきたものです。
- これまでの都市暮らしと違うからといって都会風を吹かさないよう心掛けてください。

第5条　プライバシーが無いと感じるお節介があること、また多くの人々の注目と品定めがなされていることを自覚してください。

- どのような地域でも、共同体の中に初顔の方が入ってくれば不安に感じるものであり「どんな人か、何をする人か、どうして池田に」と品定めされることは自然です。
- 干渉、お節介と思われるかもしれませんが、仲間入りへの愛情表現とご理解ください。

第6条　集落や地域においての、濃い人間関係を積極的に楽しむ姿勢を持ってください。

- 静かでのどかな池田町ならではの面白さとして、ご近所やいろいろな出会いの中での会話を楽しんでください。

第7条　時として自然は脅威となることを自覚してください。特に大雪は暮らしに多大な影響を与えることから、ご近所の助け合いを心掛けてください。

- 池田町は2004年の福井豪雨災害で大きな被害を受けて以来、集落防災隊長を設置し地域防災力を高める取り組みを推進しています。また、池田町には「雪で争うな、春になれば恨みだけが残る」という教えがあります。積雪時、大雪時での譲り合い、助け合いを心掛けてください。

集落共同体 暮らしのテキスト（一部抜粋）

- 区費について　・区内行事について（奉仕作業、祭りなど）　・ゴミ出しについて　…など

広報いけだ　令和5年1月号　5

福井県池田町広報誌に掲載された「池田暮らしの七か条」（2022年1月）

ースとし、しかも傾斜地が多いことからこれまで幾度も災害に見舞われてきた地域では、歴史的に住民がコミュニティ内での支え合いに参加するのが当たり前となっていました。ただ一方で、かつては支え合いによって得られてきたサポートを、現在では少しのお金と移動によって手に入れることもできるようになりました。結果として、若い人のコミュニティ離れが進み、地域の衰退感を広げてしまったのです。

地域の中核を担う壮年層は、こうした現状に危機感を持ちながら移住者を受け入れてきたために、「地域内の支え合いの和」に入ってくれるかどうか、信頼に足る相手であるかどうかという視点で移住者のことを見てしまうのです。簡単に言えば「支え合いで地域づくりを進めてきたから、新しく入ってきたみなさんも一緒に仲良くしましょうね」ということ。決して移住者を下に見ているわけではありません。きちんと地域のみなさんに敬意を払って、助け合いの輪に入ってくださいね、ということが言いたかったのでしょう。それが「品定めがなされている」という表現となってしまったため、炎上が起きてしまいました。

よく、田舎に住むとご近所さんから野菜をもらえるという話を聞きますが、これもお互い様の一環です。しかし、「野菜がもらえる」だけが独り歩きすると、これは「支え合い」

というような相互扶助的な概念ではなく、サービスの提供を受けるかのような一方通行の関係になってしまいます。こうなってしまうと地域社会はたちまち成立しなくなってしまいます。広報誌での発信は、助け合いの人間関係の和に入ってもらいたい一心で、あのような表現になってしまったのだろうと推察できるのです。

言葉の選び方には問題がありましたが、この池田町に限らず地方自治体や地域住民の方々は、移住する人びとに「地域の和に入ってほしい」と考えています。それが地域おこし協力隊の職務にある人間であるならば、なおさらです。

・愛媛県新居浜《にいはま》市別子《べっし》山《やま》の場合

２０２２年の暮れ、１本の動画が動画共有サイトYouTubeに投稿され、瞬く間に拡散。２０２４年の５月現在は６００万再生を超えるまでに広がっています。地域おこし協力隊として着任した協力隊員が着任当初は地域と良好な関係を築きつつも、地域団体がこれまで取り組んできた活動に疑問を感じたことから関係が悪化。さまざまな出来事が重なり、最終的に定住を諦め出ていくことになる経緯を動画として発信したものです。

もともと、ここでの協力隊の募集には2割が地域協力活動、残りは自主活動とあり、その活動内容も具体的に書かれていないことから、活動への一定の自由度があるものと協力隊自身は捉えていました。しかし地域側は「自分たちの活動に協力してくれない協力隊は不要」と考えるようになり、関係が悪化。

この地域も、当初はどちらにも悪意はなく、それぞれが〝地域にとって何が大切か〟を考え行動した結果、軋轢が生まれてしまったのです。

協力隊を受け入れた地域団体が長年取り組んできた活動は成果を生み出せておらず、着任した協力隊はそれを将来性のない活動であると判断し、見直しを求めました。しかし継続を望む地域団体のあいだに溝が生まれ、それが深刻化したことから動画の投稿に至ります。投稿された動画は投稿者の想像を超えて拡散され、地域には多くの非難が浴びせられました。

「地域おこし協力隊」は国の制度によって都市から地方へと移住し、「地域協力活動」をすることを支援するものですが、ただその「地域協力活動」は具体的に定義されておらず、各自治体に裁量権が与えられています。そのため、自治体が一定程度のコントロールをする必要があるものの、それが十分に機能しないことから協力隊と地域との関係が悪化する場合があり、しばしば話題となっているのです。

今回のように協力隊に関する動画は動画共有サイト上にも多数上げられていますが、再生回数が伸びているものはほとんどネガティブな内容です。ただ、実際の協力隊関連の動画で表現されているような事案は確かにあるものの、絶対多数というわけではなく、人びとの〝好み〟の問題でネガティブな内容に注目が集まっていると言えます。この事案はその話題性から、NHKやネット番組で特集が組まれるほどに注目を浴びることとなってしまいました。

・高知県土佐《とさ》市の場合

動画共有サイトでの拡散事案からほどなく、今度は当時Twitter（現X）で再び広く拡散される事案が発生します。高知県土佐市で元地域おこし協力隊の移住者が運営する公共施設内のカフェが、その指定管理を受託している住民団体から突然の立ち退きを要求された、というものです。これも拡散によって多くの誹謗中傷が地域に集まり、爆破予告や誘拐予告といった騒ぎに発展しました。

このように「若者VS高齢者」「地方VS都市」といった単純化された対立構図での拡散が各地で起き、それぞれ大きな反響となっています。

実は筆者自身もコロナ禍前後で関わっていたプロジェクトが同じような状況に陥りました。協力隊は関係していませんでしたが、若者VS高齢者という対立構図で、土佐市の件と同じようにネット番組で取り上げられたことから拡散され、発信者でも問題視された側でもないものの、両者をよく知る当事者としてたびたび新聞記者から取材を受けています。

結局、このような事案は日常的にたくさんあり、発信すれば拡散・炎上し、発信しなければ誰かが泣き寝入りする、という構造になってしまっています。そして、どの事案も明確な悪者がいるわけではなく、それぞれの価値観をベースに相手を批判しているのが実情です。そのため、なかなか折り合いがつかず、コミュニケーション不足から誤解の連鎖が生まれ、大きな軋轢に発展しているのが大半なのです。

協力隊を取り巻くさまざまな立場と思い

前述したとおり、協力隊の周りにはさまざまな思惑を持った人びとがいます。そして協力隊自身もそれぞれ思いを持って地域に入っていく。下の図をご覧ください。

簡単なベン図ですが、地域で何か活動をしようとするとき、人はその人なりの活動の中でも強い思いを持つ活動（＝思いの核）があり、そしてその周りにはそこまで思いは強くないものの、必要性を認識する活動の許容範囲があります。さらにその外側には、それぞれが許容できない（やりたくない、やるべきでない）領域が広がっています。

ただ、こうした部分はあまり言語化されておらず、それぞれが心のなかに置いていることがほとんどです。地域に強い思いを持っている人ほど、それぞれの領域に対して強いこだわりを持っています。しかし、言語化され

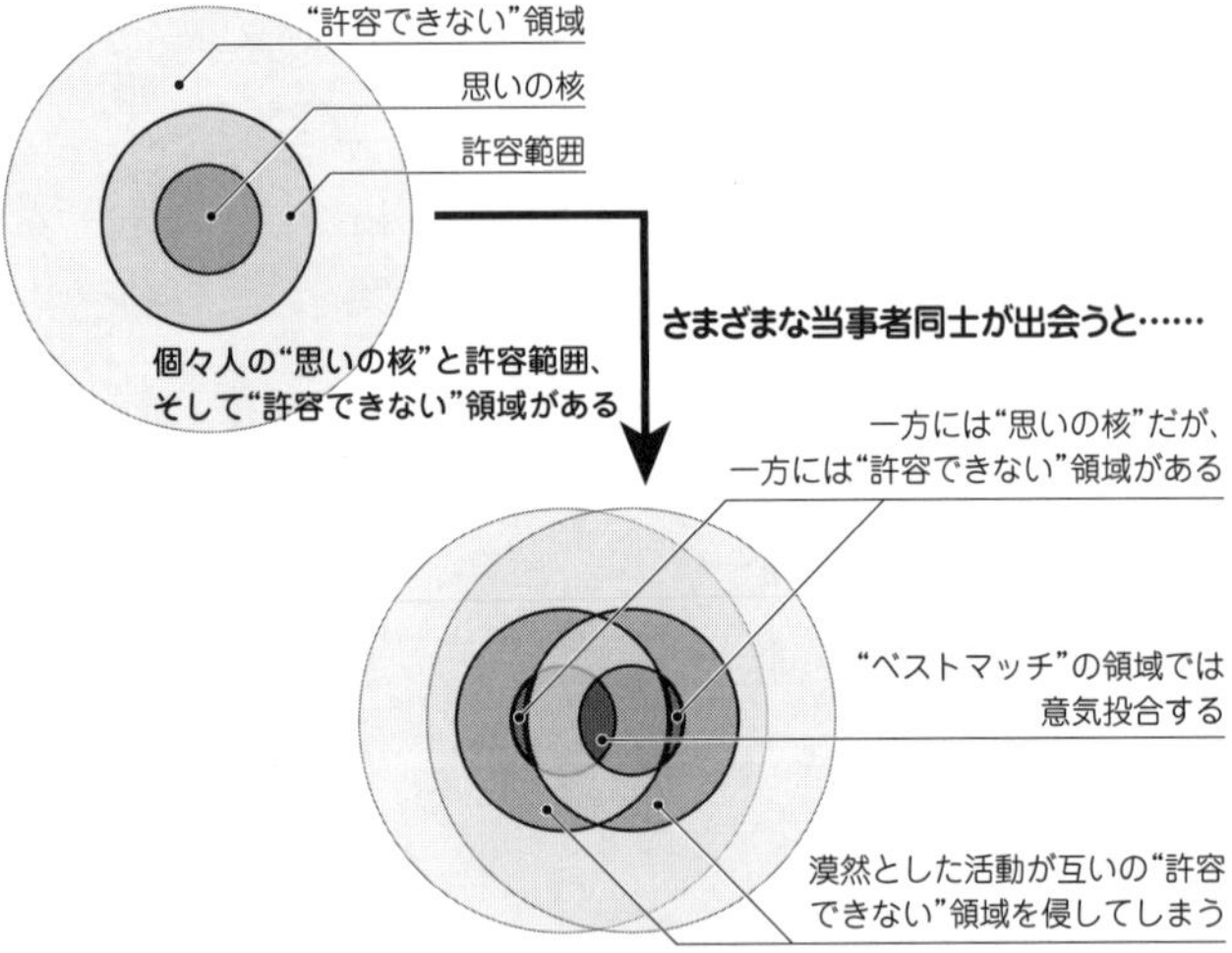

“許容できない”領域
思いの核
許容範囲
個々人の“思いの核”と許容範囲、
そして“許容できない”領域がある
さまざまな当事者同士が出会うと……
一方には“思いの核”だが、
一方には“許容できない”領域がある
“ベストマッチ”の領域では
意気投合する
漠然とした活動が互いの“許容
できない”領域を侵してしまう

思いの重なり

ていないために思いが共有されず、重なる部分が少ないままに活動が展開されてしまいます。

さらに、地域に思いを寄せる人びとは多種多様で、それぞれの立場から、核・許容範囲・許容できない領域を持っています。核が重なり合っている部分はいわゆる〝ベストマッチ〟の領域であり、当事者みんなが同じ目標に向かってぐんぐん進んでいく領域です。ただ、この領域は当初は相当小さい。そのため許容範囲にある一見問題なく見える多くの活動の中にも〝若干の違和感〟が常に同居している状態になります。これに対して、コミュニケーションを通じてお互いの思いを共有し、ベストマッチの領域を拡大させることは可能です。それぞれの立場でなぜそこが〝核〟であるのかを共有し、歩み寄ることで核の部分を寄せ合う。結果としてベストマッチの領域を拡大していく流れです。

比較的うまくいっている地域では一部行われているものの、多くの地域ではこのような整理や調整がほとんど行われていません。

一方で、各地で起こる協力隊と地域や行政とのいさかいはどうして起こるのか。同じ図で見てみると、双方にとっての核と核が重なる部分がベストマッチであるのに対して、片方にとっての核であるものの、他方にとっては許容できない領域があることがわかります。

つまり、一方は「やりたい」が、他方は「やってほしくない」という部分であり、こうしたところが大きな軋轢の原因になってしまうということです。ここまで極端でないにしても、片方にとっての許容範囲内の活動をなんとなくやっているものの、他方にとっては許容範囲外という領域はもっと広いものです。そして、このようなズレが小さなわだかまりを生み出し、それに対して双方が自身の正当性を強く主張することで、小さかったはずのいさかいが大きな軋轢へと発展してしまいます。

人の入れ替わりの少ない過疎地域

地域と協力隊の軋轢の原因となっているのが、〝考え方〟の違いです。協力隊は都市部から過疎地域へと移住して着任するので、当然のことながらそれまでの暮らしの拠点は都市部です。一方で、受け入れる側の地域に暮らす人びとの多くは、人生の大半の時間を過疎化の進む地域社会の中で過ごしてきました。同じ日本人であるのに、それぞれが育った地域の違いで〝考え方〟に違いがそんなにあるの？　と疑問に思われがちですが、結構違ってしまっているのが、現代の特徴です。

少し昔の社会を思い浮かべてみると、この10年、20年で社会の規範は大きく変化しています。たとえば、性別の違い。かつては男性と女性で、社会から期待される役割がまったく異なっていました。それが1985年の男女雇用機会均等法の制定以降、徐々に変わり始め、今では性別による待遇の差別は社会的に強く批判されるようになりました。ほかにも、性的指向や年齢、国籍など、さまざまな属性による差別に対する社会の認識はより厳格になっています。言う側にとってはさほど気にならないことでも、言われる側からすれば〝差別〟と感じてしまうものです。

また、人付き合いにしても同様で、かつては同僚や上司と飲みに行くことは〝飲みニケーション〟と言って大切なこととされていましたが、今では「なぜ終業後のプライベートな時間にまで会社の人と一緒に、個人のお金を使ってお酒を飲まなくてはいけないのか？」と主張する若手も少なくありません。お互いが〝ハラスメント〟にならないように気をつける必要があります。

「昔はそんなことなかった」「昔は問題にならなかった」というような発言を耳にすることもありますが、「問題がなかったのではなくて、泣き寝入りさせられていた」と今も傷ついている人がいるのです。つまり、「昔は……」という言い訳は通用しません。

田舎での差別の認識はどうでしょう。確かに問題視されていますが、なかなか都市部のように急激な社会規範の変化についていけていない実態もあります。なぜでしょうか。大きな原因のひとつが、社会活動を担う人びとの世代構成の違いです。

都市部ではビジネスなどが社会活動の中心であるため、どうしても世代構成の中心は「生産年齢人口」と呼ばれる現役世代となります。一方で地方の農山漁村では、農業を始めとした個人事業や、就業していても兼業や家仕事として農業をしていることもあり、〝生涯現役〟の人が多く、少子高齢化もあって、比較的年齢の高い方々が世代構成の中心となっています。〝世代構成の中心〟というのはいわば規範の決定権を持つ世代とも言えます。これは民主主義の必然ですね。そのため、高齢化した社会ではどうしても古い価値観による社会規範が変化しにくくなってしまいます。

次に、〝社会規範の変化〟に注目してみましょう。どうして人は規範の変化に対応できるのかを考えてみると、もうひとつの都市と過疎地の違いに気が付きます。先ほども書いたとおり、古い価値観をベースとした発言や行動は大きな批判を浴びます。そして、批判を浴びたり、批判を浴びている人を間近で見たり聞いたりすることで、襟《えり》を正すわけです。

古い価値観が変化していくためには、新しい価値観との出会いが必要です。もっと言えば、昨今の炎上の根本も古い価値観と新しい価値観（大切にされてこなかった価値観）とのぶつかり合いから生まれていると考えられます。では、どうして田舎では古い価値観が維持されているのかを〝人の入れ替わり〟という点から見てみたいと思います。

39ページの表をご覧ください。これはコロナ禍が広がる直前の2020年1月1日時点で、人口に占める直近1年間の転入者の割合を順番に並べ、上位と下位それぞれ50自治体（政令指定都市は区単位）ずつ示したものです。転入者率の高い自治体には都市部の自治体と小規模な離島が並び、下位には過疎法により自治体全域が過疎指定を受けている「全部過疎」の自治体が並びます。

つまり、相対的には都市部や小規模離島では人の入れ替わりが活発で、過疎地域では人の入れ替わりが少ない傾向にあります。小規模離島で転入者の割合が上がるのは、学校の先生や政府の出先機関などの人の入れ替わりによるものが一定量あると思われるためで、実際に地域社会の人たちが入れ替わっている、というよりも宿舎の人が入れ替わっている、という雰囲気でしょう。一方で〝田舎〟と言われる過疎地域では、そもそも人の入れ替わりが少ない。この〝人の入れ替わり〟の少なさが、おそらく〝新しい価値観〟との出会いの場がないことを示しているかと思います。

都市部の古い組織でもメンバーの入れ替わりが少ないと、以前からの人間関係や秩序が崩れにくく、それが災いしてしまった場合、ジャニーズ事務所での性加害問題や、ビッグモーターの事件にも共通する〝物が言えない雰囲気〟をつくり出してしまいます。過疎地域も出ていく人は多いものの、新しい人の転入は少なく、また地域と関わるような移住者は地域の考えを尊重する傾向が強いため、どうしても雰囲気は変わりにくい、というのが実態でしょう。

軋轢が起きると、どうしても「地域が悪い！　古臭い！」となりがちですが、地域にもなかなか変化できない事情があることが見えてきます。自ら変わるというのは誰にだって難しいものだと理解することも大切でしょう。

だからといって、「人の入れ替わりが少ない地域がこのままでいい」というわけではなく、こうした地域でも社会規範の変化を受け入れて変わっていかなくては、のちのち取り残されてしまうと問題意識を持ち取り組む必要があります。「郷に入っては郷に従え」の「郷」のあり方自体も考え直して、時代にあわせていく必要があるということです。

〈上位50〉

順位	市区町村	過疎指定	総人口	転入者率
1	青ヶ島村（東京都）	全部過疎	168	20.83%
2	三島村（鹿児島県）	全部過疎	363	16.25%
3	竹富町（沖縄県）		4,292	14.98%
4	十島村（鹿児島県）	全部過疎	672	14.58%
5	名古屋市中区（愛知県）		78,115	13.48%
6	大阪市浪速区（大阪府）		59,618	13.44%
7	田尻町（大阪府）		8,509	13.01%
8	与那国町（沖縄県）	全部過疎	1,706	12.72%
9	大阪市中央区（大阪府）		93,349	12.62%
10	千代田区（東京都）		62,714	12.49%
11	音威子府村（北海道）	全部過疎	728	12.23%
12	御蔵島村（東京都）		317	11.67%
13	小笠原村（東京都）		2,605	11.52%
14	大阪市北区（大阪府）		124,448	10.90%
15	座間味村（沖縄県）	全部過疎	902	10.75%
16	大阪市西区（大阪府）		96,547	10.65%
17	福岡市博多区（福岡県）		223,969	10.59%
18	中央区（東京都）		159,887	10.54%
19	名古屋市東区（愛知県）		76,233	10.45%
20	北大東村（沖縄県）		583	10.29%
21	占冠村（北海道）	全部過疎	1,097	10.21%
22	福岡市中央区（福岡県）		185,171	10.19%
23	大阪市福島区（大阪府）		75,480	10.13%
24	新宿区（東京都）		305,854	9.93%
25	粟島浦村（新潟県）	全部過疎	338	9.76%
26	渋谷区（東京都）		218,405	9.57%
27	粟国村（沖縄県）	全部過疎	692	9.39%
28	渡嘉敷村（沖縄県）	全部過疎	701	9.27%
29	中野区（東京都）		315,139	9.13%
30	札幌市中央区（北海道）		235,291	9.09%
31	港区（東京都）		240,065	9.03%
32	文京区（東京都）		214,479	8.97%
33	豊島区（東京都）		260,574	8.86%
34	和光市（埼玉県）		81,160	8.71%
35	台東区（東京都）		186,674	8.67%
36	神戸市中央区（兵庫県）		124,427	8.57%
37	目黒区（東京都）		271,801	8.56%
38	大阪市天王寺区（大阪府）		73,490	8.47%
39	横浜市西区（神奈川県）		98,106	8.23%
40	箱根町（神奈川県）		10,860	8.18%
41	品川区（東京都）		387,804	8.14%
42	川崎市中原区（神奈川県）		251,628	8.02%
43	広島市中区（広島県）		130,610	7.84%
44	京都市下京区（京都府）		74,252	7.84%
45	名古屋市昭和区（愛知県）		100,250	7.81%
46	三宅村（東京都）	全部過疎	2,393	7.77%
47	杉並区（東京都）		555,542	7.63%
48	墨田区（東京都）		261,917	7.61%
49	恩納村（沖縄県）		10,235	7.53%
50	名古屋市中村区（愛知県）		128,090	7.52%

〈下位50〉

順位	市区町村	過疎指定	総人口	転入者率
1	双葉町（福島県）		5,884	0.59%
2	大熊町（福島県）		10,271	0.92%
3	金山町（山形県）	全部過疎	5,345	0.92%
4	能登町（石川県）	全部過疎	16,807	1.23%
5	氷見市（富山県）	全部過疎	46,224	1.25%
6	浪江町（福島県）	全部過疎	17,122	1.26%
7	三種町（秋田県）	全部過疎	16,179	1.26%
8	南伊勢町（三重県）	全部過疎	12,263	1.27%
9	八峰町（秋田県）	全部過疎	6,982	1.27%
10	那珂川町（栃木県）	全部過疎	15,872	1.29%
11	古殿町（福島県）	全部過疎	5,110	1.29%
12	東白川村（岐阜県）	全部過疎	2,196	1.32%
13	大野市（福井県）	全部過疎	32,332	1.33%
14	阿賀町（新潟県）	全部過疎	10,683	1.34%
15	鮫川村（福島県）	全部過疎	3,279	1.34%
16	勝山市（福井県）		22,649	1.35%
17	紀北町（三重県）	全部過疎	15,380	1.35%
18	新郷村（青森県）	全部過疎	2,415	1.37%
19	田野畑村（岩手県）	全部過疎	3,279	1.37%
20	小鹿野町（埼玉県）	全部過疎	11,337	1.38%
21	佐井村（青森県）	全部過疎	1,956	1.38%
22	糸魚川市（新潟県）	全部過疎	41,757	1.39%
23	大子町（茨城県）	全部過疎	16,584	1.40%
24	宝達志水町（石川県）	全部過疎	12,801	1.41%
25	羽後町（秋田県）	全部過疎	14,535	1.41%
26	一戸町（岩手県）	全部過疎	12,048	1.43%
27	田子町（青森県）	全部過疎	5,381	1.43%
28	西和賀町（岩手県）	全部過疎	5,511	1.43%
29	上小阿仁村（秋田県）	全部過疎	2,230	1.43%
30	加茂市（新潟県）		26,608	1.44%
31	南越前町（福井県）	全部過疎	10,421	1.44%
32	五泉市（新潟県）	一部過疎	49,254	1.44%
33	湯川村（福島県）		3,186	1.44%
34	茂木町（栃木県）	全部過疎	12,637	1.45%
35	多可町（兵庫県）	一部過疎	20,253	1.45%
36	香美町（兵庫県）	全部過疎	17,211	1.45%
37	山添村（奈良県）	全部過疎	3,441	1.45%
38	男鹿市（秋田県）	全部過疎	26,836	1.45%
39	尾花沢市（山形県）	全部過疎	15,684	1.45%
40	九度山町（和歌山県）	全部過疎	4,180	1.46%
41	東かがわ市（香川県）	全部過疎	29,963	1.46%
42	珠洲市（石川県）	全部過疎	14,000	1.46%
43	大紀町（三重県）	全部過疎	8,264	1.48%
44	新温泉町（兵庫県）	全部過疎	14,155	1.48%
45	井川町（秋田県）	全部過疎	4,660	1.48%
46	十日町市（新潟県）	全部過疎	51,726	1.48%
47	遊佐町（山形県）	全部過疎	13,579	1.49%
48	飯豊町（山形県）	全部過疎	6,932	1.50%
49	関川村（新潟県）	全部過疎	5,447	1.51%
50	姫島村（大分県）	全部過疎	1,989	1.51%

転出率の上位・下位50自治体　※総務省住民基本台帳データより筆者作成

公共事業としての「地域おこし協力隊」

このような新しい価値観との出会いが少ない地域に着任するのが「地域おこし協力隊」です。もちろん地域に入っていくのは地域おこし協力隊に限らず、これまでも日本中で多くの移住者が地域に入っていきましたし、私自身も移住とまではいかないまでも、学生時代からたくさんの地域にお世話になってきました。

ただ、前述の通り、地域おこし協力隊は公共事業ということもあり、注目を集めやすい面があります。

読者のみなさんの中にも、自分が働いて納めた税金がどのように使われているのか、は大きな関心ごとで、政府に『無駄遣いをやめて！』と強いメッセージを出している人も少なからずいると思います。税金は大切に使う必要があるのです。これは何も都市部の人に限ったことではなく、協力隊を受け入れる地域の人たちにとっても同じです。

つまり、地域おこし協力隊の活動に対して、公益性の観点から見ているのが地域住民です。一方で、協力隊自身はどうかというと必ずしもそうでないこともあります。協力隊の募集情報を見ていると、「地域への定住」をゴールとしてさまざまな支援策や自由度が確保されています。動画共有サイトなどで協力隊が紹介される際には、時として「移住すれば

3年間はお金がもらえるオイシイ制度」というような言われ方をされています。このような情報をもとに応募し着任する協力隊には、〝活動に公益性が求められる〟という発想よりも、〝定住に向けた準備〟や〝地域でのビジネス〟といった発想のほうが自然になってしまいます。

さらに、制度上は協力隊ひとりあたり、報償費と活動費あわせて480万円（2024年度からは制度が拡充され、520万円）が特別交付税措置の対象であることから、協力隊員は520万円から自分の給与である報償費を引いた分は、自由に使えるものだと考えがちです。そのため、企画を思いついてからすぐに〝自分の自由なお金〟を使って活動しようとしたら、行政から待ったがかかることに違和感を覚えてしまうのです。なぜ、自分が自由に使える予算なのに自由に使えないのか、と。

しかし、原資は税金ですから、当然使途には説明責任が求められ、その場は議会となります。結果としてどうしても時間がかかってしまうし、時間をかけてもきちんと説明、承認の手続きを経る必要があるのが税金です。

このような性質を理解して活動をする必要があるのですが、着任後にこのような説明を丁寧に受けることなく活動をスタートしてしまうと、「どうしてすぐに使えないの？」という問題に発展してしまいますし、地域住民からは「彼らは税金で雇われているのに……」という不満が溢れ出してしまいます。公共事業であるということは、そういう視点で活動を考える必要がある、ということなのです。

公共事業であるがゆえの住民の目線

協力隊の場合は、都市部での仕事を辞めて着任することが大半です。地域おこし協力隊に着任すると、報償費は最大でも320万円（地域活動に必要不可欠な高度専門人材の場合は最大420万円、ただし活動費も含めた上限は520万円）までしか国の制度では規定していません。もちろん自治体によっては独自の予算で上乗せしている地域がないこともありませんが、一般的には最大で320万円と理解して問題ないでしょう。となると、都市部での収入と比較すると大幅に収入減となってしまいます。

実際には、給与を期待して都市部から協力隊に着任する人はほとんどいませんが、おおよその認識として「収入が減ったな」と感じています。しかし一方で、協力隊を受け入れる地域ではその少ない収入でも比較的高いと感じる人も少なくありません。それゆえに、地域の若者からすれば協力隊は〝ちょっとうらやましい〟存在となります。その状況に公共事業、つまり自分たちの税金で雇用されている、という認識が重なることでどうしても視線は厳しくなりがちです。さらに、協力隊が誰にでもできる仕事をやっているようだと、「だったら地元の若者を雇用してよ！」と不満が募ります。ただ、協力隊という制度だと地元住民の雇用はできませんので、移住者を雇用する協力隊は、移住者ならではの活動をしなくては、なかなか地域の理解が得られないのです。

協力隊の側からすると「移住してきたのだから」という気持ちになるのもわからなくはないのですが、地元からすると移住してきたかどうか自体は特に大きな意味を持ちません。結局、地域の自分たちにとってどう見えるかが大事となります。本来的には協力隊の導入前から地域と行政がよく協議して、どういう協力隊を導入し、どういう活動をしてもらうか、十分に認識の共有を図る必要があるのですが、実態としてそれができていない地域も多くあります。

ですから、協力隊自身に問題があるというわけではなく、外部人材としての協力隊に具体的にどういう活動をしてもらうのかを公共的な視点で検討し、地域とも共有しておく必要がありますし、それができていないところに問題の根っこがあります。ただ、導入前の協議は丁寧にやればやるほど時間がかかってしまうこともあり、丁寧に準備されていないのが実情で、そこに大きなズレの発端が生じてしまいます。一度その活動に疑問符がついてしまうと、地域はさらに厳しい目を協力隊に向けてしまうのです。

協力隊と自治体、地域の温度差

どうしてこのような行き違いが生じてしまうのでしょうか。協力隊の側からすれば「求められてきたはずなのに」と思うのですが、実際に協力隊の導入を企画し募集・採用する自治体と、協力活動の対象となる地域のあいだにも、温度差があるものです。

それは「なぜ、協力隊を導入することになったのか」という経緯を考えるとわかりやすいです。地域おこし協力隊は今や過疎化の進む地方にとっては、最初にやるべき取り組み、とも言えるほどに普及しています。すると、過疎化が進んでいるのに協力隊を導入していない地域はちょっと目立つ存在となるのです。こうした地域では当然のことながら「なぜ導入していないのか？」という問いが議会や首長（市町村長）からも出てきます。こういう経緯の場合は「では、導入しよう」という流れになりやすい。しかし、実際に地域の側も、極端な場合は行政の担当者自身も、導入の必要性を必ずしも感じていない、という場合があるのです。

実際には議員や首長から「わが町でもやりなさい」というような指示が出たら、やらざるを得ない。さらに地域に入る場合は受け入れてくれるようにお願いして歩く、というようなことも起こります。地域からしてみれば「協力隊って何?」「何をしてくれるの?」という状態から始まってしまうのです。協力隊なのに協力する相手がいない。これでは協力隊も困ってしまいます。

また、行政は行政で着任する協力隊との温度差があります。協力隊自身は着任時には「とにかく地域をよくするために頑張るぞ!」「この場所で生きていくぞ!」と強い気持ちを持ってはりきってやってきます。それなのに受け入れる行政職員が強い気持ちを持っていなかったり、強い気持ちを持った移住者を相手にする仕事に慣れていなかったりすると、手探り状態となり、出だしでつまずいてしまいます。

基本的に行政はリスクを避けがちな体質ですので、新しいことに取り組もうとする協力隊に出会うと、さらに硬化して協力隊の活動に制限をかけてしまうことも多々あります。

行政職員からすれば、これまでの仕事では平等や公正さ、安定感があらゆる面で重要視されてきたわけなのに、協力隊の場合はそのキャラクターによって任務内容がバラバラです。こんなバラバラな協力隊をどう管理しようか？　と悩んでしまう。結果的に事務的な労務管理を粛々とやることに終始してしまい、必要な調整が行われないこともあります。協力隊は都市部からの移住者ですので、田舎特有の地域社会の中に溶け込んでいく、という経験を持っていない人が大半です。そして、多くの場合はIターン移住者として地域に入りますので、地域の中に後ろ盾となる人もいません。結構孤独なのです。

着任当初は採用者である行政が丁寧に各所との関係づくりをサポートしていくことが求められるのですが、昨今の行政事務の量を考えるとどうしても丁寧なサポートは難しくなってしまいます。特に1人で複数名、状況によっては10名以上の協力隊に、他業務と兼務しながら対応している状況ではなおさら丁寧な対応は難しくなるでしょう。

協力隊の側も、地域や行政が協力隊に期待している役割を十分に理解せずに、自身の強い思いに突き動かされて活動をスタートしてしまうことが多々あります。結果的に協力隊の思いと行政のスタンスにズレが生まれ、それが不満へと拡大していってしまうのです。

地域とのズレ、行政とのズレ、さまざまなズレのあいだに入り込んでしまうと、協力隊としてはどうにもならない状況となってしまう。そして最後の最後で、SNSなどでの発信となってしまっている側面もあることでしょう。

地域振興と定住準備のジレンマ

地域に入ってくる協力隊は多くの場合、「地域を盛り上げる活動をしながら、定住の準備をし、任期終了後は地域に定住」というイメージを持って着任しています。そして、受け入れる募集を見ていても任期終了後の定住を求めているものが大半です。実はここに協力隊が抱えるジレンマのようなものがあります。

協力隊は公共施策ですから活動にも公益性が求められる、ということは先に書きました。過疎地域における地域おこし協力隊ですから、公共的な活動としてイメージしやすいのは地域振興という視点です。この地域振興と、募集要項などに書かれている「定住準備」の両立もなかなか悩ましいものです。

というのも、地域振興を中心に据えた場合、もちろん主役は地域となるわけなので、協力隊自身は黒子となり、地域が少しずつ元気になっていく様子を見ながらサポートしていくこととなります。しかし、黒子に徹して地域のサポートばかりをしていると、自分自身が定住するための準備をする時間がなくなってしまいます。結果的に地域が元気になっても、自分は定住準備ができていない状態で任期を終了することとなってしまいます。こうなってしまうと、定住するつもりで着任した協力隊には不満が出ますし、任期終了後の定住を前提に導入した自治体にとっても当初の目的が達成できない、という事態となります。

なぜそうなってしまうのか考えてみましょう。先ほど書いたように、協力隊という事業は公共事業であって、私企業による地域サポートではありません。ですので、本来的には私的活動である定住準備は協力隊の活動として行うものではないのです。たとえば地域活動を展開する中で組織化を図り、その事務局として給与を得ていくことを想定した場合は、地域協力活動と任期終了後の収入源づくりが一体化することもありえますが、そのような場合でもない限り、定住準備（任期終了後の収入源づくり）と協力隊活動が両立しなくなってしまいます。

実際に、協力隊として地域自治組織の立ち上げをサポートし、任期終了とともにその事務局として再雇用されたり、あるいは地域のＮＰＯに雇用されたりする事例も多くあります。しかし、協力隊活動を通じて起業の準備をすることとなってしまうと、活動の公益性という点でなかなか地域の方々に説明がつかないのも理解できる話だと思います。公共事業である協力隊を考える際に、このようなジレンマの自覚は重要です。

各地の協力隊の募集要項を見ていると、「起業を前提にして協力隊の任期を定住準備にあてください」という募集も少なくありません。また、起業ではないにせよ、地域にある民間企業や外郭団体、道の駅などの公共施設でのスタッフというような募集も少なくありません。〝公共施設〟のスタッフだから公共的活動だ、と行政も言いがちですが、住民からすれば、それは公共施設運営に対する人件費の補填として見えてしまいます。

つまり、募集企画の段階で公共事業という認識が落ちてしまっている募集がたくさんあるということです。募集がそうした内容になっているなら、問題ないのでは？　という協力隊側の気持ちもわかりますし、制度上はそれで問題ないのかもしれませんが、地域の人びとはそう簡単には納得しません。税金で雇用され、〝地域おこし〟に協力してくれる協力隊なのだから、少なくとも地域の公益的な活動を中心にしてくれなくては困る、と考えます。そこに「そんな話は聞いていません！」と強い協力隊側からの反発があると、瞬く間に関係が悪化してしまうという構図です。

自主活動と地域振興活動のリンク

では、自主活動自体が悪なのか？　という疑問も湧きますが、そんなことはありません。また、そもそも自主活動と地域協力活動は対立するものではなく、その概念もありません。

なんとなく「地域協力活動」は地域から求められる活動で、自主活動は定住準備、と捉えられがちですが、結局は地域の方々や行政との意見交換を通じて、その地域での地域づくりに、協力隊それぞれが持つスキルやノウハウをどのように活かせるかを考え実践する、ということです。

その視点で言えば「自主活動」というのは協力隊発意の企画であり、「地域協力活動」は地域発の活動、ということなのかもしれません。しかし、大事なことはこの両者を上手に統合することです。協力隊が持つスキルや〝やりたいこと〟と、地域が持つ活動歴や〝やりたいこと〟を出し合って、両者の強みを創発的に統合することで、地域らしさと協力隊らしさをあわせ持った活動が実現します。実際そのような活動は全国各地で多数始まっているのです。

こうなると協力隊がたとえ自分の定住準備をできなくとも、地域側が放っておきません。信頼できるよき仲間を引き止めるために自分たちで雇用の受け皿となりうるNPOなどの組織を立ち上げることもあれば、地域内の企業に働きかけて雇用をお願いすることもあります。つまり、定住準備をしなくては定住できないということではなくて、地域とよい関係が構築されれば定住支援についても地域側が動いてくれることが多々あるのです。

もちろん、地域とよい関係を築けたものの地域側がどうにも雇用の受け皿をつくりきれず、結果として転出してしまう場合もあります。しかし、こうした場合では地域に定住しなくとも、退任した協力隊と地域が遠く離れてもよい関係を継続することとなります。これはこれでよいのではないでしょうか。

協力隊の場合、とかく「定住率」ばかりに注目が集まりがちですが、これだけ交通の便がよくなって人の行き来がしやすくなり、さらにオンラインでのコミュニケーションも活発化した今日では、定住が絶対ではなく、よい関係があればあらゆる協力が、空間を超えて可能になっています。

不満を持ちつつ定住するのか、定住せずともよい関係を継続させるのか、というのには実は協力隊活動に対する地域の目線が大きく影響するのです。どうしてもわかりやすい成果として「定住6割!」に注目が集まってしまうのですが、地域振興という視点で見たとき「定住がすべて」ではなく、さまざまな関係性の中でどのように地域が元気を取り戻していくのか、地域を主語にして考えていく必要があります。

「地域おこし協力隊」のネーミングが悪い、という話題はよく耳にしますが、協力隊なのだから地域との協働があってこそ、と考えることが大切です。そして、このような関係がつくられた結果として定住につながっていく、というのが現実的でしょう。

「地域おこし」ってなんだ？

こうして現状を考えていくと、「結局、『地域おこし』ってなんだ？」という問いにぶつかります。地域おこし協力隊が協力する「地域おこし」とはいったい何で、「地域おこし」にいったいいつまで協力すればいいの？　という問いです。しかし、その答えはどこにも見当たりません。

実は「地域おこし」に限らず、「まちづくり」「地域活性化」「地方創生」など地方を盛り上げようとするさまざまな取り組みがこのような言葉とともに語られていますが、具体的にどのような状態を目指すのか、というのは極めて曖昧です。行政が策定する「総合計画」は地域の目指す方向を示す大きな計画ではありますが、その中身も総花的でいまいちピンときません。

そんな中で「地域おこし協力隊」の募集要項を見ても、地域がどの方向を目指しているのかを知ることは難しいのが実情です。「○○に協力してほしい！」というように方向性を示している募集はわずかで、多くが「一緒に盛り上げましょう!」といった抽象的なものとなっています。

しかし、実際に地域に入ってみると、地域は割と落ち着いていて、協力隊員からすると「本当に活性化したいの?」という疑問が湧くことも多々あります。募集する側も、東京から人に来てもらう以上は「地域は元気です!」とアピールをしたくなるのですが、実際のところはどこも至って平穏だったりします。平穏な地域に入っていって「地域を盛り上げます!」と言っても、なかなか仲間がいない、周囲から浮いてしまう、という壁にぶつかる協力隊員も少なくありません。そこで協力隊が思う活性化と、行政が考える活性化、あるいは地域が考える活性化、それぞれが異なっているにもかかわらず、特に協議することもなく活動が始まってしまうために、思いのズレが表面化し、軋轢へと発展してしまうのです。

これは協力隊が活動する地域に限らない話で、今や日本中で「地域活性化」が叫ばれていますが、具体的に「活性化」の定義は見当たりません。なんとなく「活性化」という言葉を使っていれば地域が盛り上がることなのだろうな、というイメージが湧くレベルの話です。しかしそれが業務ともなると、あるいはそれに協力するとなると、話は違います。

その活性化の方向性に納得できるかが、仕事の充実のためには必須の条件となってきます。

では、各地域で「活性化」や「地域おこし」はどのように捉えられているのでしょうか。実は結構曖昧で、明確に定義づけていない地域は非常に多いですし、定義づけているとしても「道の駅の収益向上」や「人口増加」といったものにとどまっています。そしてまた、定義づけられた目標についても、地域住民が納得できるものなのかどうか、というとかなり微妙です。住民は、自分たちの暮らしにどのような前向きな変化があるか、という視点で見ているからです。こうした視点に行政が募集要項で掲げているような内容が理解されるか、というとなかなか難しいのも現実でしょう。

このように、地域おこし協力隊に関わる「地域おこし」自体の目標が明示されていないため、行政、協力隊自身、さらには地域それぞれが、それぞれなりの目標をイメージし、それを協力隊の活動に重ねて見てしまう。このような定義の曖昧さが認識のズレを生み出すひとつの要因ともなってしまいます。

本来的には、こうした活動のスタート地点での小さなボタンの掛け違いから丁寧に修正していく必要があるのですが、それをせずに過ごしていくと、小さなズレが大きな軋轢へと発展していってしまうのです。

認識のズレは最近の話か？　協力隊制度は時代遅れになったのか？

こういった認識のズレから生まれる軋轢、さらにはそれがSNSなどで発信されることによって引き起こされる「炎上」は、「最近の問題」として扱われることも多いです。しかし、それこそSNSへの投稿による炎上は最近かもしれませんが、このような軋轢自体は古くからある話です。ただ、以前の移住者や協力隊は不満を持ちつつも発信する場を持っていませんでした。

いや、実際にはブログなどで発信されることもありましたし、裁判にまで発展したこともあったようですが、最近のSNSほどの拡散力はまだありませんでした。隊員がチームを組んで行政からさまざまな権利を勝ち取ったという話もあります。これまでの協力隊でも同じような境遇に陥ってしまいながら、発信するすべがなかった隊員も多くいますし、困難を乗り越えてよい関係を築いた隊員や、もともと調整機能が働き上手に地域となじんだ隊員も多くいることは忘れないでください。

とはいえ、泣き寝入りせざるを得なかった人も多くいますし、そうしたことをできる限りなくしていかなくてはいけません。そのためにもズレや軋轢が起こってしまう背景やメカニズムについて、さらには地域づくりとは何かについて、考えていく必要があります。

また、最近は「協力隊はもはや時代遅れ」という言われ方も耳にします。10年、15年経ってしまってはもはや手法としても古いという話です。しかし、こういった指摘は間違っていると私は思います。というのも、地域づくりやまちづくりには本来的には「古い」も「新しい」もないのです。あるのは「地域の文脈に合っているかどうか」だけ。

つまり地域の住民によってさまざまな活動が生まれ、地域の力がついてきている地域には、もはや協力隊は不要かもしれません。しかし、こういった活発な地域は全国的にはまだ稀な存在です。協力隊による地域づくりのサポートがどういった場面で必要かというのは、全国的な傾向というよりもそれぞれの地域の活動履歴や置かれている状況によって変わります。その状況に対して協力隊が有効であるかどうか、その場その場で判断していくことが大切でしょう。

〝映《ば》える〟活動でもズレる

SNSが普及したもうひとつの側面として「映え」があります。雑誌などで、地方でつくられたさまざまな〝場〟に若者たちが集まって、みんなで同じようなポーズをとる写真をよく見かけるようになりました。そこから感じ取れるのは、その場の充実です。ただ、よい場だったのだなぁということが感じ取れる一方で、そのような場に地域の方々がどの程度参加しているのか？　という疑問も湧いてしまいます。

SNSが広がることによって、まちづくりや地域づくりの場面でも〝映える〟が大きな要素になってしまっているのです。

〝映える〟イメージはいいとしても、それが必ずしも活動全体のよさを示すとは限りません。しかし、〝地域らしい活動〟をよしとする地方創生の取り組みの中で、アピール力のある〝映える〟イメージは効果的です。問題なのは、〝映える〟ということと〝オリジナリティがある〟〝個性的である〟ということは同じなのか、ということです。さらに言えば「オリジナリティ」や「ほかとの差別化」というような用語もよく見かけますが、これも「ほかと違う」ということが重要なのではなくて、内発的であるかどうかが重要です。

内発的であれば、ほかと似通った活動であったり、すでに他所で行われているような活動であったりしても、地域にとっては有用ということが多々あります。同じように、〝映える〟取り組みであっても地域となじまないことも多くあります。しかし、実際には活動には〝流行り〟があるのも事実。最近では政策的関心が「移住」から「関係人口」にシフトしましたし、働き方改革に伴って流行った「サテライトオフィス」は、コロナ禍を経て「ワーケーション」へと変わっていきます。そしてこの変化は、都市部側の変化であることが多く、地域側はそれに呼応して取り組みを変えています。

協力隊がこのような状況変化を見ながら取り組みを変えていくのは悪くないのですが、それらの取り組みが地域にとってどういう意味があるのか、という視点がどうしても抜けがちになってしまい、それが地域とズレる発端にもなってしまうのです。つまり、着任した協力隊がいろんなメディアを見て「これでいこう！」と思ってスタートし、都市部の若者たちが参加し、新聞メディアに「田舎で始まった若者の活動！」と紹介されるなどして、自信を深めたとしても、地域感覚からはズレてしまっていると「おや？　なんで？」となってしまうということです。

こんな事態にならないように、そもそも協力隊はどうして始まり、何が求められているのか、ということをこれからの章で考えていきたいと思います。

第2章
地域おこし協力隊とは
その背景と制度「人的支援」の系譜

２０２４年4月で「地域おこし協力隊」が始まって15年が経ちました。この章では、協力隊の活動とはどういうものなのかを考えてみましょう。まず、制度が始まるまでの背景を探ってみたいと思います。地域おこし協力隊という制度はこれまでの地域活性化施策と何が大きく違うのか。それは「人を送る」ということです。

日本では戦後、「全国総合開発計画」の下で「国土の均衡ある発展」を目指してさまざまな開発が全国で進められてきました。しかし、「どこでも東京なみ」の開発が実現したかというとそうではなく、逆に「どこに行っても同じような風景」と揶揄《やゆ》されるように、地域から個性を奪ってしまった側面もあります。そして、地方の人口減少と都市への一極集中は止まる気配がありません。

これまでの国による各地の活性化支援は、たとえば「〇〇を造れば何割補助しますよ」、「こういう事業をすれば何割補助しますよ」といったもので、国が位置づける取り組みや事業に対して補助を行ってきました。いわゆる〝紐付き補助金〟というものです。

地域で必要な事業は、国が位置づけるような事業とテーマが近くはあっても、完全には合致しないことがほとんどです。多くの地域では「本当はこういうことがしたいのだけど、補助を受けるために国が示している事業の中に、本来自分たちのやりたい事業を位置づける」ということをしてきました。ある意味賢くお金をもらっていた、とも言えるでしょう。とはいえ、紐付きであるため、地域が実際にやりたいことをストレートに実現することが難しい場合もありました。

国の事業による地域づくり支援が盛んに行われてきたにもかかわらず、多くの地域の衰退には歯止めがかからない中、ある変化が起きます。

1990年代から都市農村交流を通じて、人口は減るものの〝元気〟になる地域が出現。都市との交流を通じて、人口が減っても地域住民が自分たちの地域の価値を見直し、誇りを取り戻し、元気に活動していく事例が生まれてきたのです。

また、1995年1月に阪神・淡路大震災、同年3月に地下鉄サリン事件が発生、1997年には大手証券会社であった山一證券が経営破綻し、人びとの中にあった「安心・安全神話」が崩れてくると、価値観も多様化していきます。

それまでの、田舎よりも都市、小さいよりも大きい、遅いよりも速い、といった重厚長大型の価値観にとらわれず、それぞれが自由に自分の目標を設定するようになっていく。

こうした転換は人びとの行動にも影響し、レジャーも大型観光地一辺倒から、隠れた名所などへの個人旅行が広がっていきます。

こうした中で観光まちづくりの世界では、それまでの一見《いちげん》さんを中心とした「観光入込客」を増やす既存の取り組みだけでなく、地域とじっくり交流してくれるような「交流人口」を増やそうという概念が生まれてきます。個人旅行が広がる中で、地域の暮らし自体を資源化し、地域との交流を図るような観光を目指そうという取り組みです。

こうした取り組みを通じて、地域に暮らす人びとの気持ちを〝諦め〟から〝向上〟へと転換させていくことの意義が広がっていきます。そして〝価値観の転換〟が地域の閉塞感を打開するには必要だという認識が広がり、そのきっかけをつくるのが〝よそもの、わかもの、ばかもの〟だと言われるようになります。

ここでいう〝よそもの〟とは、外側の視点、ということ。地域に長年暮らしていると、地域の魅力も当たり前になってしまい、なかなかその価値に気づくことはできなくなってしまいます。たとえば地域の水や空気、食べ物など、地元ならではの素晴らしさがあるのは事実ですが、これが日常的に手に入る状況にいるとその豊かさを忘れてしまうことが少なくありません。いつしか豊かさが当たり前になってしまうのです。こういうときに〝よその〝の視点で地域の資源に光を当てることが大切、ということですね。

次に〝わかもの〟。これも年配層の多い地域では新しい発想が出てきにくい中で若者の発想が大切ということです。年配だとどうしても価値観が古くなりがちですが、若い人はこれからの社会の担い手でもありますし、新しい常識を持っています。これまでの慣習にとらわれず、地域全体の考え方を若返らせていくことも重要です。

最後の〝ばかもの〟は誤解されがちですが、これまでの常識を覆すようなアイデア、ということです。例として、ある協力隊ＯＢから聞いたエピソードをご紹介します。

彼はお米を育てるために、企業とタイアップして合鴨ロボットを導入してみたそうです。私は、ぱっとやってきた協力隊がそういうことをしたら地域の人たちから「けしからん！」と叱られる可能性もあるのではないかと思ったのですが、彼は「失敗して当たり前かもしれない。だからこそ、外からふらっときた僕らのような人がやってみることに意味がある」と面白い考えを教えてくれました。地元の人では、いわゆる定石に縛られてしまって、なかなかボトルネックを突破できないのだけれども、馬鹿な発想でもやってみてしまうことが大事なのです。

つまり、価値観の転換を図っていくにはそれくらい大きなきっかけがないと難しいということです。そしてそれを期待されるのが「地域おこし協力隊」を始めとした「人的支援」と呼ばれる取り組みです。これまでのような〝紐付き〟の補助金ではなく、〝人〟を送り込み、その人と地域とのコラボレーションによる地域づくりを進めようというもので、ときに「化学反応」と言われたりしますが、現代的には「ソーシャル・イノベーション」と言ったほうがいいかもしれません。

当初は、都市部に住む個人と地域づくりに積極的な地域との個別の関係だったものが、大学の教員を介した学生と地域の関係に広がり、さらにさまざまな団体がこうした動きを創発・拡大すべく後押ししていくこととなります。この流れを見てみましょう。

地球緑化センター　緑のふるさと協力隊　１９９４年〜

人的支援を組織的に進めた最初の取り組みは、ＮＰＯ法人地球緑化センターが１９９４年から実施している「緑のふるさと協力隊」でしょう。もう始まって30年になろうという人的支援の草分け。これは都市部に住む若者たちが1年間、農山村に派遣され、農業やイベントなど地域活動をサポートする事業です。

この取り組みではと月5万円の生活費のみ支給という、驚くような報酬で多くの若者が地域に派遣されています。ひと月5万円で生活できるの？　という疑問も湧くかもしれませんね。ですが受け入れ側も支給額はよく知っているので、地域全体が派遣されてきた若者を支えるために動いてくれます。そのため、多くの若者が派遣期間終了後も地域に残り、定住しているのです。その割合が2011年までの隊員の内の4割以上となり、大きな話題を集めました。本書で中心的に取り扱う「地域おこし協力隊」の先導的な取り組みだったのではないかと思います。

今でも、地方の役場を訪れると元・緑のふるさと協力隊の職員に出会うことがよくあります。若者が農山漁村の暮らしに関心を持ち、行政がその背中を押してあげることで、地方に移住・定住していくという流れを最初につくった取り組みとも言えるでしょう。両者のあいだを取り持つ地球緑化センターが募集企画や派遣中のフォローなどをかなり丁寧に実施しているのも特徴です。（文献1）

国土庁、国土交通省　地域づくりインターン　1996年〜

1996年に当時の国土庁（現国土交通省）が若い学生を地方の自治体に派遣する「地域づくりインターン事業」をスタートさせます。大学生を中心とした若者を2週間程度、「中山間地域」とも呼ばれる、いわゆる田舎の自治体に派遣し、さまざまな地域づくり活動に参加してもらう、というものです。ここではあえて学生や若者、という限定をしていますが、若者や学生を地域の方々に受け入れていただくにあたって、ホームステイなどお金のかからない方法を探ります。

結果として地域側では「学生を受け入れる」という未知の体験に向けて、綿密な話し合いの場が持たれます。誰の家にホームステイしてもらうのか、2週間どんなことをやってもらうのか、誰が世話をするのかなど、決めるべきことが多岐にわたります。元来変化の少ない農山村においては、このような話し合い自体が地域づくりを起動させるひとつのきっかけとなる、と早稲田大学名誉教授でこの事業の立役者とも言える宮口《みやぐち》侗廸《としみち》先生は仰っています。（文献2）

農山村地域は長く衰退局面にあるものの、何かわかりやすい出来事をきっかけに衰退したのではなく、徐々に人口が減り、地域の力も衰えていくというパターンがほとんどです。そのため、地域の再生に向けて手をつけるタイミングを逸してしまっている、この状態を「縮小均衡」と学術的には呼んでいます。この縮小均衡の状態を打開しないと新しい動きは生まれにくく、一石を投じる機会となるのが「若者の受け入れ」ということなのです。

新潟県中越大震災復興基金　地域復興支援員　2008年〜2021年

新潟県では2004年10月23日、川口町《かわぐちまち》（現長岡市《ながおかし》）を震源とするM6・8の地震が発災。山古志村《やまこしむら》（現長岡市）を始めとして、過疎化の進む中山間地域を中心に大きな被害が出ました。発災が10月、その後の豪雪もあり、本格的な復興は被災から2年ほど経って、仮設住宅からもとの集落へと戻るところから始まります。しかし現実は厳しく、もとの地域に戻る人びとは半数程度。その後の地域をどうしていくのか、という悩みは尽きません。

そこに寄り添っていたのが、復興ボランティアの方々でした。彼らは被災直後から地域との関わりを持ちながら、継続的に復興に向けた話し合いにも参加し、住民にとってよき仲間となりました。ボランティアは復興のサポーター以上の存在となっていったのです。地域の外からやってきたボランティアから発せられる言葉の一つひとつが、過疎化の進む地域で被災し自信を失いかけていた地域の方々にとって、希望を見出すきっかけとなりました。

こうしたボランティアの動きを見ていた（財）新潟県中越大震災復興基金（注1）は、動きの拡大を目指して2007年11月、「地域復興支援員設置支援」という復興支援メニューを新設しました。当初は任期5年、その後数回の任期延長があり、最終的に2021年3月まで配置されていました。（文献3）（文献4）

地域復興支援員設置支援のメニューが設定されると、早速川口町に1名の復興支援員が着任。続いて翌2008年4月には中越地域に50名ほどの地域復興支援員が着任します。「地域復興支援員」という名前はついているものの、実際の活動は仮設住宅からもとの地域に戻った方々と二人三脚で集落の復興を目指すという動きで、移住者という条件はないものの、現在の「地域おこし協力隊」に非常に似た取り組みが展開されるようになります。

特に特徴的と言えたのが、若者による地域支援です。特段高い専門知識や経験を持たない大学生や20代の若者たちが地域支援の現場に入り、助言するのではなく、地域の方々と一緒になって試行錯誤しながら復興に向けた活動をつくっていく。その過程で地域にさまざまな気付きが生まれ、やがて地域から主体的活動が生まれていきます。

私も当時は近隣の大学に勤めていたこともあり、毎月1回、復興支援員のみなさんに集まってもらい研修を進めていました。当時の研修のメニューは、今の地域おこし協力隊向けの研修にも多く取り入れられています。

総務省　集落支援員　2008年〜

国として最初に地域に人を送り込む支援を制度としてスタートさせたのが総務省です。総務省が設置する有識者会議である「過疎問題懇談会」が2008年4月に出した答申の中で「集落支援員の設置」が提言されています。これを受けて2008年度から「集落支援員」が総務省による特別交付税措置（注2）の対象事業としてスタートします。

任期の設定は特にありませんが、なり手として行政経験者などが位置づけられ、「地域の実情に詳しく、集落対策の推進に関してノウハウ・知見を有した人材が、地方自治体からの委嘱を受け、市町村職員と連携し、集落への『目配り』として集落の巡回、状況把握等を実施」するということがその役割として示されています。

若干の専門性を有するような位置づけがなされていますが、行政に限らず地域おこし協力隊のOBやOGも含めたさまざまな人材が、地域のサポート役として集落支援員の活動をしています。専任の集落支援員が1900人強、兼任で3000人強の方々（令和3年度データ）が活動中です。かかった予算が確実に補填されるとは限らない特別交付税措置とはいえ、総務省が必要な人件費をカバーすることで財政が悪化している地方自治体でも積極的に人員配置ができるようになった、というのも大きな特徴です。

一方で、始まった当初から3000人前後いる兼任の集落支援員については、本務が自治会長であったり公民館の主事であったりするなど、本人が集落支援員としての自覚がない中で、行政による費用負担上集落支援員として位置づけられることも多くなっています。ただ、これが問題か、というと実際にこのような職についている方々は集落支援をしているわけですので、特段大きな問題だとは思いません。ほかにも、近年各地で設立されている地域運営組織の事務局として集落支援員が位置づけられることも多くなっています。

本題の地域おこし協力隊もそうですが、何をもって「集落支援」を実施していると言えるのかについては各自治体に任されています。よく言えば多様、悪く言えば「グレーなのでは？」と首をかしげたくなるような活動もなくはない、というのが実態です。総務省ウェブサイトによると令和3年のデータでは4割が60代、9割がそれまで暮らしていた自治体で活動しています。外部から移住者がやって来て地域を支援するというよりも、もともと地域にいて関係性もできあがっている中で、地域支援という職についているのが集落支援員だと言えるでしょう。

農林水産省　田舎で働き隊！　2008〜2021年

総務省が「集落支援員」をスタートさせたのと同じタイミングで、農林水産省は「田舎で働き隊！」をスタートさせます。当初は数日程度の農山村の体験事業であったものが拡大し、翌2009年からは数ヶ月～1年程度の体験（研修）期間となりました。メニューとしては農村体験の意味合いが強く、前述の「緑のふるさと協力隊」に似ている制度と言えるでしょう。

ただ、緑のふるさと協力隊が30名程度の派遣であったのに対して、田舎で働き隊は事業開始当初には900名強が参加するなど、事業規模が格段と大きなものでした。2015年度には総務省の地域おこし協力隊と名称が統合され、「農水省版地域おこし協力隊」とも言われるようになります。総務省の協力隊とのもっとも大きな違いは、総務省の施策が特別交付税措置であるのに対して、農林水産省の協力隊は交付金であるということです。

つまり、総務省事業では先に事業があってそれをあとから特別交付税として措置してもらうのに対して、交付金は事前に国から自治体へと支給されるわけです。前払いと後払いという違いですが、特別交付税措置がほかの措置事業と統合的に支給されるため、全額が補塡されるわけではありません。それに対して交付金は事前にお金が来るわけですから行政としてはやりやすいわけです。

しかし、圧倒的に総務省版の協力隊のほうが規模が大きく、普及していったこともあってか、少しずつ下火となりました。令和3年の10名を最後に終了しています。

総務省　地域おこし協力隊　2009年〜

総務省は集落支援員のスタートから1年、都市圏からの移住を前提とした人的支援施策である「地域おこし協力隊」をスタートさせます。初年度こそ、31自治体89名からスタートしたものの、多種多様な活動が生み出され、２０１４年に島根県の地域おこし協力隊を視察した故安倍《あべ》首相が当時１０００人まで増えていた協力隊の数を3年で3倍の３０００人にするように総務大臣に指示し、総務省として一気に拡大へと舵を切ることに。２０１４年末には、２０１６年までに協力隊３０００人という数値目標が設定されます。

ところが、高い壁に見えた３０００人の目標は難なく達成され、次々に目標設定が高められていき、２０２３年には６０００人を突破。目標設定は２０２６年までに１万人となって、新たな導入支援施策が始まっています。地域おこし協力隊は本書の主題でもありますので、ここで語るのはこの程度に留めておきましょう。

総務省　復興支援員　2011年〜

2011年3月11日、東日本大震災発災。東北地方の太平洋沿岸に大きな被害が出たことは、まだまだ鮮明に記憶されている方が多いと思います。災害が起きれば、そのあとには復興があります。東日本大震災被災地でもいち早く復興に向けて動き出そうと、新潟県中越地域で活躍した「地域復興支援員」をモデルに、総務省が地域おこし協力隊と同じく特別交付税措置による「復興支援員」を配置します。

ただ被災地限定ということですので、配置されるのは福島、宮城、岩手の3県のみ。新潟県中越地域の地域復興支援員が仮設住宅からもともと住んでいた地域に戻ったときの集落復興に対するサポートが中心であったのに対して、この復興支援員は被災後に間もなく設置されていることから、仮設住宅での生活支援やイベント支援などが中心となっています。

総務省　地域おこし起業人　2014年〜

2014年には、企業版の地域おこし協力隊とも言える「地域おこし起業人」がスタートします。都市部の企業が社員を派遣することで地域づくりに貢献しようというものです。たとえば、観光事業者から社員が派遣され地域のPR活動を進めたり、広告代理店から派遣された社員が地域のブランディングを考えたり、といった取り組みが行われます。ほかにも自治体DX（自治体のデジタル化の推進）に関わる通信系企業からの派遣も多いようです。

これまで地方の衰退の一因として言われていたのが、人材不足。特に専門人材の不足は顕著で、地域づくりのボトルネックとなっていました。地方行政からすれば喉から手が出るほどほしい人材が、地域おこし企業人として地域にやってきてくれることはとても歓迎され、ここ数年一気に拡大しつつあり、名称も2021年から「地域活性化起業人」と変更されています。地域課題の解決を外部の企業からやってくる人材に助けてもらおうという取り組みです。

このあたりから派遣される人材像が少しずつ、非専門家型の人材から専門家型の人材へと変わっていきます。地域おこし協力隊ももちろん続いているので、移り変わったというよりも、非専門家でもある協力隊ではどうにもならないような地域課題については専門人材である地域活性化起業人によって解決を図っていく動きです。

ちなみに、「地域活性化起業人」には「企」ではなく「起」が使われています。「企業」の人材が来るのに、なぜ「起業」人なのか疑問に感じて総務省に聞いてみたところ、企業から派遣された人材であっても地域で新たな取り組みをスタートさせるなどの〝こと起こし〟をしてほしい、という意味を込めた、という回答でした。

内閣府　地方創生人材支援制度　2015年〜

総務省に続いて内閣府にも専門家型の人材派遣の動きは広がっていきます。内閣府の地方創生施策の一環として、地域というよりも行政組織内に人材を送る「地方創生人材支援制度」がスタート。これは地方創生を効果的に進めるべく、どうしても人材が不足しがちな自治体組織の上層部に国家公務員、大学研究者、民間の専門人材を派遣しようというものです。

特に概念が曖昧な地方創生の事業としてスタートしたものの、近年ではデジタル化を推進する「デジタル専門人材」、さらにSDGsなどの取り組みを推進する「グリーン専門人材」も派遣されるようになっています。総務省の「地域活性化起業人」にも似ていますが、こちらは企業の人材に限らず、中央官僚や大学の研究者なども派遣されています。

行政組織の上層部（副市町村長や幹部職員、アドバイザーなど）に外部人材を置くことで、一気に地方創生を推し進めていこう、という地方創生推進本部の強い意志がうかがえる取り組みです。こちらも協力隊ほどの人数はいないものの、近年その数字が伸びてきている実態があります。

総務省　地域プロジェクトマネージャー　2022年〜

総務省では2022年から「地域プロジェクトマネージャー」をスタート。これは地域に入る「地域おこし協力隊」の中でもより専門性が高く、プロジェクトのマネジメントもできるような人材を想定しています。実際に協力隊にもそのような人材は多く出現していたのですが、どうしても地域おこし協力隊の報償費ではこうした高度な専門家を雇用するには限界があることから、報償額の高い専門家として「地域プロジェクトマネージャー」

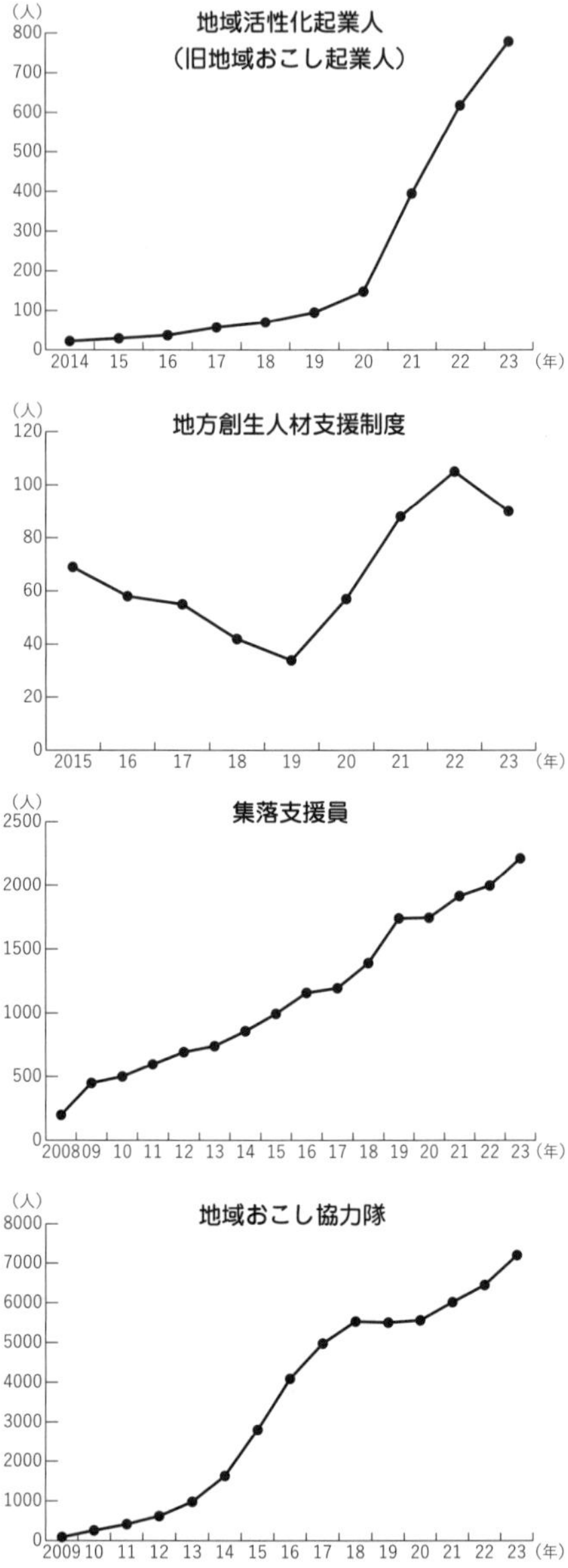

事業と派遣人数

がスタートしました。

地域活性化起業人は企業から人材が派遣されるのに対して、地域プロジェクトマネージャーは企業とは関係なく個人を雇用します。実際にはフリーランスの専門家や、地域おこし協力隊OB・OGが雇用されたりしています。

「人を送る」という地域施策

ここまで紹介してきたさまざまな取り組みに共通するのは、地域に事業ではなく人を送り込むということ。当たり前の話ですが、人は多種多様ですから、人材を地域に送り込むことで具体的にどのような成果が得られるかはあまりにも未知数で、それを国家施策として位置づけるのは、ある意味においてはとても目新しかったと言えるでしょう。

また、このような取り組みが広がる時期も絶妙でした。人的支援が新潟で始まったのが2007年、国家レベルでの取り組みで話題になるのが2008年です。この時期は実は日本における政治の大きな転換点であったと言えます。2007年の国会はねじれ国会となっており、政権を担う福田《ふくだ》首相は窮地《きゅうち》に立たされている状況でした。そして集落支援員や田舎で働き隊が始まった当時は自民党が下野する直前の麻生《あそう》内閣でした。

2009年には民主党政権が誕生します。民主党政権の大きなキャッチフレーズには「コンクリートから人へ」という言葉がありました。自民党が戦後長く続けてきた箱物行政から脱却し人間を大事にしようという意図のある言葉で、人的支援の施策はまさにその「人」による施策でした。自民党がスタートさせた施策でありながら、民主党が主張するような性質を持っていたということです。

「人を送る」という施策は、成果が明確ではありません。特定の業種や専門家を派遣するのならわかりますが、特に人材が持つスキルや位置づけを気にせずに地域に送ろうというのは、これまで投資に対する成果が比較的わかりやすかった箱物行政とはまったく異なったものです。悪く言えばギャンブル的とも言えるかもしれません。しかし、自民党がここで「人」の施策をスタートさせたことには大きな意味がありました。

2009年の政権交代で民主党は、それまでの自民党型の政策から転換させるべくさまざまな政策を打ち出していきますが、人的支援について言えば、民主党としても「否定する必要がない」施策だったと言えます。結果的に地域おこし協力隊がスタートした直後に誕生した民主党政権下でも拡大していくこととなりました。

これを農村政策の第一人者でもある明治大学の小田切徳美《おだぎりとくみ》教授は「奇跡の政策」と評しています。このように、政権交代という大きな波を上手に乗り越えた人的支援の施策は、政権が自民党に戻ったあともますます拡大していくこととなりました。

一方で受け入れる地域の側は2000年を過ぎてから「平成の大合併」のあおりを受け、行政の人員も大幅に減る方向となっていきます。もともと地域の拠点であり、多くの住民のよりどころであった「役場」は、規模の大きな地域と合併して新たな自治体では「支所」となり、人員は大幅に減ってしまいました。しかし、ICT（情報通信技術）の普及による自治体DXなど、自治体が取り組まなくてはならない課題はますます増えるばかり。地域からは「人がいない！」という叫びが発せられるようになります。また国は国で、支援策を講じても自治体側にそれを受け取る余裕がない、使いこなせる人材がいないという閉塞感から、結果として専門家も送り込んでいく方向に動くようになっていきます。地域からの要望にどんどん答えていく中央政府、スバラシイじゃないか！　と思われるかもしれませんが、ちょっと注意が必要です。

優秀な人材が地域や行政組織に入ってくると、ほかの人はどうなってしまうのか、という点を考えてほしいのです。優秀な人が入ってくると、周りの多くの人は、その優秀な人に難しいことをおまかせしてしまいます。当面、その人材がいるあいだはそれで問題ありませんが、任期のある人材に地域課題解決をおまかせしてしまっては、その後どうなるでしょうか。任期が終わり、その人材が地域に残ってくれなければ、それまでの取り組みも続かなくなってしまうのです。

結局、スーパースターのような助っ人を呼んできてしまうと、スーパースターにおまかせ状態となってしまい、もとの組織は一向に変化しないどころか、何もできない組織になってしまう可能性すらあります。人を送るというのは簡単なようで、実は多くのことを考慮に入れながら進めていく必要があります。

非専門家という人材派遣

地域への人材派遣の流れを見ていると、当初は学生や若者などが農山村に飛び込んでいき、地域の方々と交流していくような取り組みであったものから、やがて企業や専門家といった高度人材が派遣されるようになってきた、という経緯が見えてきます。協力隊の報償費が年々上がってきているのもこの流れと言えます。これは一体何を意味するのか、考えてみましょう。

当初の「緑のふるさと協力隊」や「地域づくりインターン事業」で地域に派遣されていたのは若者や学生が中心で、極めて少ない金額かもしくは無償で地域に派遣されていました。そのため、地域としてもいかに安く滞在してもらうかを考える必要が生じて、ホームステイの受け入れや活動のサポートといった取り組みが企画されていきます。これを地域の縮小均衡状態を打開するきっかけとして位置づけよう、という狙いは前に書いたとおりです。

ところが人口減少や東京への一極集中が進む中で、地域の人材はますます不足。東京などの先端的な考え方の急速な進展についていけない地域をサポートするために、専門的な人材を送るという方向に拡大していったと考えてよいでしょう。ただ、改めて「非専門家を派遣する」ということの意味も考えてみる必要があるのではないでしょうか。非専門家の場合、外からやってきた人だけでの地域の課題解決は当然のことながら難しく、地元の方々と協働したり、サポートを得たりすることが前提でした。そのため、外から人材がやってきたとしても、それを受け入れる地域も一緒になって考え、汗をかく必要があり、結果としてそのプロセスが地域の活力を生み出していったと言えます。

つまり、縮小均衡状態にあるような地域の場合は、むしろ非専門家型の人材のほうが地域を動かすきっかけとしては有効かもしれない、ということです。

広島県三次《みよし》市で地域おこし協力隊として活動し、今は青森県に拠点を置きつつも全国の地域おこし協力隊のサポートをする「地域おこし協力隊サポートデスク」の専門相談員である野口拓郎《のぐちたくろう》さんは「のび太理論」という非常にわかりやすい説明をされていました。

『ドラえもん』には個性豊かな登場人物が出てきます。その中心にいるのが、ドラえもんであり、のび太です。そして、その周りにガキ大将であるジャイアンがいて、ジャイアンの取り巻きのスネ夫がいます。のび太は怠け者で何をやってもうまくいきません。しかし、よく考えてみると『ドラえもん』の物語はのび太がいることによって、その周りの人びとが引き立てられています。もしのび太が優秀だったらドラえもんの活躍のしどころはありません。ジャイアンだって自分の立場がない。ジャイアンとのび太がいるから、そのあいだに立つスネ夫の立場ができます。地域おこし協力隊は『ドラえもん』でいうのび太ではないか？　というのが「のび太理論」です。別に怒られたり、いじめられたりする役を担うという意味ではなく、ひとりの人間の不足部分を周りの人たちが埋めるという意味です。

最近私は、なんの専門性も持たない人材が地方に入り、一緒に活動することで地域の人びとが引き立てられていくのをいくつも見てきました。どこでも専門家をほしがりがちですが、状況によっては、特に地域をおこしていこうという部分では、非専門家のほうがきっかけになりやすいと考えています。

多様な地域おこし協力隊の活動　フリーミッション型/ミッション型

地域おこし協力隊では、本当に多種多様な人たちが、多種多様な形態で着任し、活動しています。いくつかのグループを見てみましょう。たとえば、協力隊って具体的にどうやって活動内容を決めているのかご存じですか。協力隊自身が派遣された人材として考えていると思いがちですが、そうでもないこともあります。

協力隊の活動方針には大きく分けると「フリーミッション型」と「ミッション型」があります。フリーミッション型というのは、活動の自由度が高い取り組みで、協力隊自身が地域を見た上で具体的な活動を考えていくというスタイルです。それに対してミッション型というのは、募集の段階から具体的な活動内容がある程度決められていて、この活動の担い手として応募し着任するものです。協力隊が始まった当初は、誰も具体的なイメージを持っていなかったので、フリーミッション型が大半でした。

しかし、やはり着任する側からすると「フリーミッションなので、自分で考えて」というのは負担があったり、着任後のイメージがしづらかったりします。年を追うごとに募集する地域が増えたこともあり、各地域では応募者数が募集人員を下回ることが相次ぎ、人材確保に苦労することが増えます。また、フリーのままでミッションを確定できずに3年を過ごしてしまうという事態も出てきてしまいました。そうなると行政としては対応せざるを得なくなります。次第に募集の段階から、言い換えれば協力隊の企画の段階からその地域に何が必要かを吟味し、それをミッションと定めた募集が増えていきます。

現在ではミッション型のほうが多い印象です。どちらがいいのか、ということは一概には言えません。フリーかそうでないかは、明確に分かれるというよりもバランスの話、つまりどの程度の自由度があるかということにもなります。自由であることと決まっていること、どちらも一長一短です。

たとえばフリーミッションで自分なりの協力隊活動をイメージしたとしても、それが行政や地域の人びとにとって「地域おこし」と認識してもらえるのか、ということです。協力隊が自分としては地域のために、と思っていても受け入れる地域側がそれを理解してくれないとなかなか認めてもらえません。これは企画自体の問題であることもありますし、受け入れる側の理解力の問題でもあります。お互いがどう折り合いをつけられるかを考える必要があります。

であればミッション型のほうがやりやすいのかというと、ミッション型でもあまりにもいろんな部分が決まっていると、「それって移住してきた私がやらないといけないこと？」と思ってしまうことも多々あります。

先にも書いた通り「人を送り込む」ということは、その人自身のキャラクターや経験、スキルを受け入れるということですが、あまりにミッションが明確でやることが決まりすぎてしまっていると、「だったら地元の若者を雇用してあげてよ」という話になってしまいます。ミッション型の中にも、着任する協力隊それぞれの個性を受け入れる自由度が必要でしょう。

多様な地域おこし協力隊の活動　委嘱型／委託型

多様な協力隊は、雇用形態にも現れています。たとえば、行政が「会計年度任用職員」として雇用するパターンと、直接的な雇用契約は結ばずに「地域おこし協力隊業務」を着任した個人に委託して進めてもらう仕組みです。異なるのは自由度です。

会計年度任用職員というのは、簡単に言えば行政にいる有期雇用の人材という意味で、雇用期間中は行政職員として位置づけられます。一方で、委託型は直接雇用契約がないので、個人のまま。だったら個人のほうが自由でいいと感じるかもしれません。しかし、個人事業主となるので自分で保険料なども払っていく必要がありますし、何かあったときに守ってくれる組織もありません。極めて自己責任度合いの強い雇用形態と言えるでしょう。協力隊になる前もフリーランスとして活動してきたなど、こういう立場に比較的慣れている人であればいいのですが、都市部で企業勤めしていた人が突然田舎にやってきて個人事業主として活動していくというのもなかなか大変です。

将来的に定住を考えている協力隊の場合は、地域協力活動のみならず定住するための生活基盤づくりも必要です。しかし、フルタイムで雇用されているとどうしても時間の自由度が少なくなってしまう。それなら委託型にして時間の使い方の自由度を高めたいと考える人も出てきます。

もう少し別の見方もしてみましょう。協力隊を受け入れている地域側の視点です。協力隊は地域で活動するので、どうしても地域から注目を浴びます。地域の側は「なんとなく衰退している地域をなんとかしてくれるんじゃないか」と期待をしているわけです。協力隊がどう考えていようと、協力隊が何をしているのかに注目が集まるのです。

ただ、協力隊が委嘱型なのか委託型なのか、というところまでは関心はありません。ないと言うよりも、行政が募集しているのですから行政が雇用していると考えるのが自然で、そのような形態があることを想像すらしていない、というのが実態でしょう。

そうした認識の地域住民が委託型で自由に労働時間を決めている協力隊の活動を見たら、どう思うでしょうか。「あの人、税金をもらってやってきているのに、仕事をしてないじゃないか！」と勘違いしてしまう場合もあります。

本来は行政が事前に地域に対して説明することが必要なのですが、それも十分にできていないことが多いようです。特に農村の農家さんなどは日中外で仕事をしている時間が長いため、どうしても車や人の出入りがわかってしまい、協力隊があまりに自由な時間の使い方をしていると「何をやっているの？」となってしまうのです。

自由は確かに心地よいのですが、しっかりと職責を果たしていかないと地域から厳しい視線を向けられてしまいます。都市部と違い親密な関係性が築かれていて、よくも悪くも匿名性が低いのが農山村。その現実の中で的確に判断していくことも必要でしょう。

多様な地域おこし協力隊　地域おこし活動／起業活動／定住準備

自由なようで、自由でない。募集要項や担当職員と話している限りはそんなに「地域の目」は気にしなくていいように感じてしまいますが、信頼関係をベースに形成されている地域社会で任期終了後も生活していく上で、地域との信頼関係は不可欠です。

外部の人を引き付ける地域の魅力は、豊かな自然環境や景観であったり、農の営みであったり、助け合う社会だったりすると思いますが、こうした資源は実は地域に住む人びとのボランタリーな土地管理活動や社会活動の結果として形成されているものです。ですので、地域としては同じ仲間として暮らしていく以上は、移住者も同じように地域活動に関わるものだと思っています。

もちろん多様な価値観が認められるべきなのが今日の社会ですが、今日の豊かな農山村をつくってきたこれまでの地域の共同活動に対する敬意は必要でしょう。

しかし、実際の地域おこし協力隊の活動の中身を見てみると、いわゆる地域協力活動への比重が少ないものも多くあります。たとえば、「起業準備をしてください」という募集です。特に最近は増えてきているように感じますが、なぜこのような募集が増えるのか。地域としては人口減少に悩んでいるわけですが、移住者を受け入れようにも仕事がないという課題を持っています。ならば、協力隊であれば当面3年間は仕事ができる。しかし、3年の任期終了後、定住するタイミングでまた仕事の問題が起こってしまう。だったら、任期の3年間で任期終了後の仕事づくりになるように起業準備をしてもらおう、となるわけです。

ですが、起業というのは私的な活動で、その準備を税金でまかなうとなると、地域に住んでいる人からすれば「なんで?」と感じてしまいます。もちろん、移住してきてなんのツテもない移住者がいきなり起業しようとしても現実は厳しいというのは、ある意味自明です。それでも活動ミッション自体が起業となってしまうと、「それは私的な活動でしょ!」というツッコミが入るわけです。

「起業準備がダメなら、やっぱり地域振興だ！　地域に協力することが大事であれば、任期中は地域サポートに徹しよう」となるのですが、それはそれで結構忙しくなってしまいます。特に広範囲な地域で活動していると毎週末のようにあちこちでイベントがあり、それぞれの活動にサポートで入っていると、てんてこまいの状態になってしまいます。定住準備どころではありません。

さらに何でもかんでもお手伝いしていると、だんだん地域の側も「困ったら協力隊に頼めばいい」と考えるようになっていきます。そうなってしまうと、雪だるま式にやらなくてはいけない仕事が増えていきますし、もし仮に途中でそれを投げ出してしまったり、任期が終了して後任の人材も入らなかったりしてしまうと、その活動自体が途端に難しくなってしまいます。

つまり定住を意識して起業準備を活動の中心に据えると、なかなか理解が広がらない。けれど地域振興に活動の中心を据えてしまうと、定住準備がままならない。そんなジレンマが発生してしまうのです。バランスだよね、と言うのは簡単ですが、そのバランスをどう取るか。定住して上手に生活している協力隊のＯＢ、ＯＧを見ていると、そのあたりのバランスのよさをとても感じます。

起業は理解が得られにくく、地域振興がすべてだ！　なんて言っているわけではありません。大切なことは、起業でもなんでも、取り組む活動がどう地域振興につながっているのかというストーリーを持っていることが重要なのです。「風が吹けば桶屋が儲かる」という離れたロジックを表現した言葉がありますが、そこまで遠いとなかなか難しいものの、協力隊の活動がどのように地域に有益であるのか、ということは常に説明するように心がけてほしいですし、説明が求められることだと思います。

高い定住率が求められるけれど

協力隊のひとつの特徴として高い定住率が挙げられますし、協力隊がここまで拡大してきたことも、この高い定住率が一因と言えるでしょう。総務省のウェブサイトを見ると、「地域おこし協力隊の定住状況等に係る調査」という項目があり、「任期終了後、およそ65％の隊員が同じ地域に定住」という言葉が出てきます。さらに「4割が起業」という言葉も並びます。非常に高い数字だと思いますし、これが地域おこし協力隊が過疎政策の中心に位置づけられるようになってきた大きな要因と見ることができます。一方で定住率が低いと協力隊の成果が上がっていないと批判されてしまいます。

ですが、定住しなかった協力隊は失敗なのか？　という視点で一度考えてみてください。もちろん定住してくれればそれに越したことはないでしょうが、非定住＝失敗と位置づけるのはあまりにも早計ではないでしょうか。協力隊は若い人が着任することが多いですが、若い人にとって都市部での仕事を辞めて農山村地域に飛び込むのは大きなチャレンジですし、若い時期の3年間の経験は人生に大きな影響をもたらします。そして、よい3年間を過ごした協力隊は仮に定住しなかったとしても、転出した先で地域のよい話を広めてくれるでしょう。都市部に戻ったとしても、地域と関わりを持ち続ける協力隊卒業生も多くいます。人びとのライフスタイルが定住型のライフスタイルから流動型のライフスタイルに変わってきている現代では、定住というのは必ずしも一般的な選択ではなく、流動する中で、さまざまな地域との関係をつくっていくものです。

ある地域のお祭りに出かけたとき、印象深い出来事がありました。その地域で協力隊として活動していたものの、実家の家業を継ぐために地元に戻っていった若者が、地域のおばあさんとふたりで仲良く談笑している姿を見かけました。「今日はどうしたの？」と聞いてみると「里帰りです！」と元気のいい返事が返ってきました。おばあさんもうれしそうです。この例からわかるように、定住がすべてではありません。定住してもしなくても、地域と協力隊がよい関係をつくることが大切ですし、よい関係を築いた協力隊はたとえ転出しても、ずっと仲間でいてくれることでしょう。

どうしても、協力隊の定住率の高さから、移住施策として協力隊を位置づけて見てしまうため、定住＝成功、転出＝失敗、と考えてしまいがちですが、地域からしたら定住しようがしまいが、よい関係づくりができることが大前提です。よい関係ができていなければ定住していてもあまり地域はよくなりません。そう考えると、移住を中心に据えて協力隊の施策を考える、というのは得策ではないと感じています。

「人的支援」の系譜を振り返ってみると、当初は住民の気持ちに火をつけるべく、刺激として外部の人材を位置づけ、最終的には住民自身の行動を促していくような取り組みがイメージされていました。それが時が経つにつれ、どんどん直接的な支援、あるいは支援者ではなく主役級の人材を送り込むようになっていった経緯が見て取れると思います。サポーターがいつしか、アクター、さらにはスターにまでなってしまった。今一度、地域に対する「人的支援」の本来的な意図を思い出す必要があるように思います。

注1　（財）新潟県中越大震災復興基金：2004年新潟県中越地震からの復興に向けて、行政による取り組みを補完し、長期的に安定的かつ機動的に進めるために、財団を立ち上げて、財団による運用益を原資とした復興支援事業を進めました。復興基金という仕組みは1991年の雲仙普賢岳災害から取り入れられています。なお2007年新潟県中越沖地震の復興に向けて設立された（財）新潟県中越沖地震復興基金までは運用益の運用でしたが、東日本大震災以降は金利の低迷もあり、切り崩し型の復興基金となっています。

注2　後章でも詳述しますが、地方交付税の約4％を普通交付税で補足されない災害などの特別な財政需要に対して地方公共団体に交付するものです。

文献1　「農山村再生・若者白書2010」編集委員会編『緑のふるさと協力隊　農山村再生・若者白書2010』農文協、2010年3月

文献2　宮口侗廸、木下勇、佐久間康富、筒井一伸編著『若者と地域をつくる』原書房、2010年8月

文献3　石塚直樹、澤田雅浩「地域復興支援員制度が支援員自身に及ぼす影響に関する研究」、『日本建築学会計画系論文集』、88巻、803号、154－164ページ、2023年1月

文献4　中越防災安全推進機構・復興プロセス研究会著『中越地震から3800日』、ぎょうせい、2015年3月

第3章

なぜ協力隊にばかり注目が集まるのか？

急拡大する地域おこし協力隊

国の後押しによって、さまざまな人材が地域に派遣される制度は地域おこし協力隊に限らず、増えてきたことをご理解いただけたことと思います。ただ、読者のみなさんは「協力隊は聞いたことあるけど、ほかの施策は知らなかった」という人も多いのではないでしょうか。

実際にそれぞれの事業のうち、継続あるいは拡大しているものについて、始まった年の派遣人数を100％として、その後の派遣人数をグラフ化した下の図をご覧ください。

これを見ると、協力隊が特に大きく拡大した事業であり、さらにここ数年になって「地域活性化起業人（旧地域おこし起業人）」が拡大傾向にあることがわかります。

一方で、下の図には入れていませんが、農林水産省版の地域おこし協力隊（旧田舎で働き隊！）は大幅に減少し終了、内閣府の地方創生人材支援制度は横ばいです。どうして総務省のこのふたつの事業に極端な人気が集まるのかという

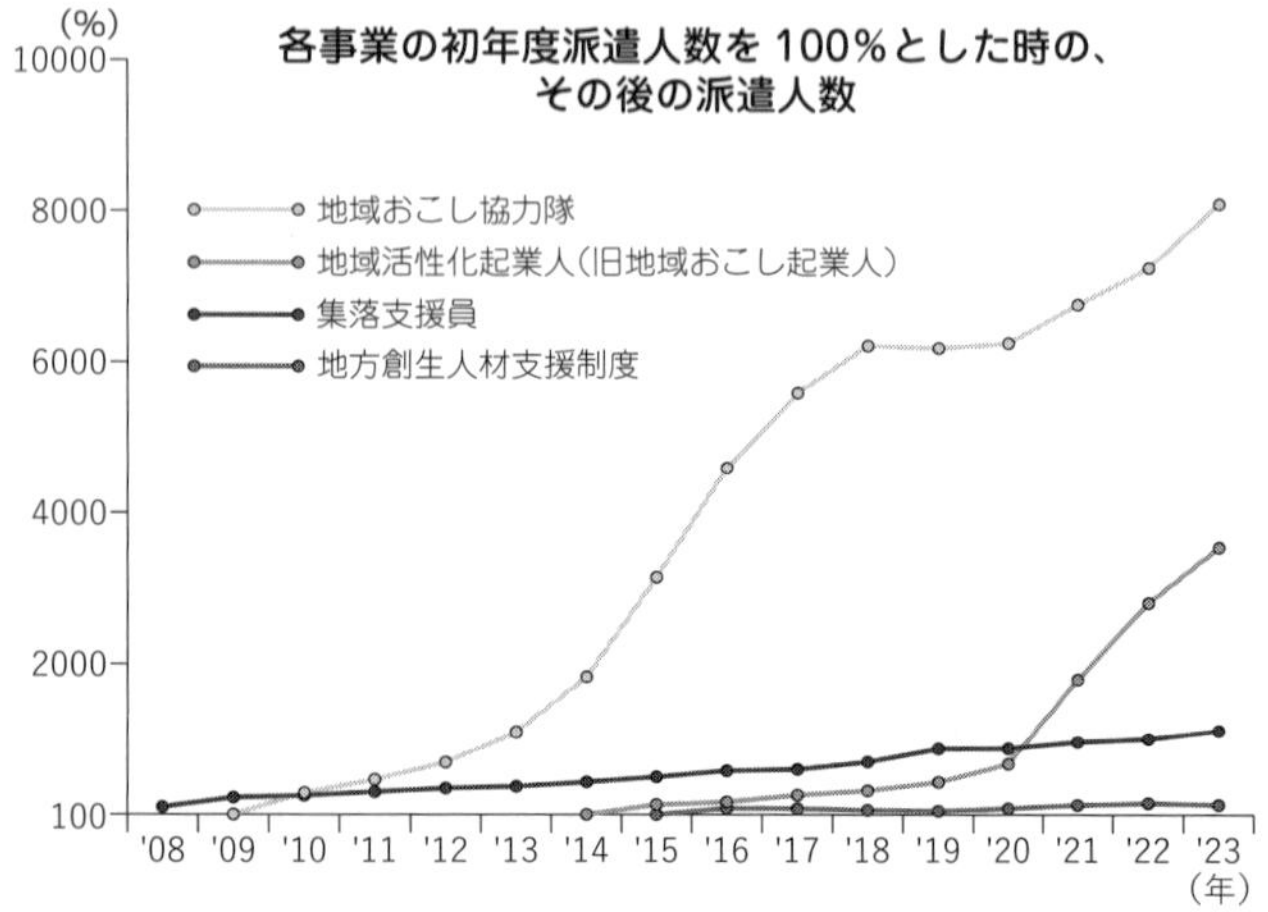

各種事業の派遣人数の拡大

と、端的に言えば、それだけ募集できることが要因だと考えられます。そこには予算の話が大きく影響します。

先にも書いた通り、総務省が実施する人的支援は特別交付税措置により進めるもの。一方で内閣府や農水省の事業は交付金事業です。交付金事業は事前に予算額を決め、その予算の範囲内で募集し実施するということになります。つまり、予算額以上の募集ができません。

では総務省の実施する地域おこし協力隊や集落支援員、地域活性化起業人はどうかというと、特別交付税措置なので、確定された上限がありません。特別交付税は地方交付税全体の約4％、年間でだいたい1兆円強が予算計上され、協力隊に限らず災害対応を中心にさまざまな〝特別な支出〟に対して交付されています。協力隊1名あたり年間480万円（2024年度からは520万円）が人件費および活動費として特別交付税措置の対象となっています。7000人いたとして年間330億円超。実際にはそれに募集経費やサポート経費、退任時の起業資金補助など付加的なものもありますが、1兆円という総額からすればさほど大きな金額ではないため、協力隊の人数が増えたから直ちに特別交付税に対する予算措置を全面的に見直さなくてはいけない、ということにはなりません。

さらに特別交付税措置は年度末に各自治体から集められた申請に基づいて各県に渡す措置額を決め、それを各都道府県の基準に基づいて市町村に交付することとなりますので、全額が必ず支給されるという認識は各自治体の財政部局は持っていません。それが「なんでもかんでも協力隊を入れて！」といったモラルハザードが起きない一因とも言えます。とはいえ、事前に予算規模を厳格に設定する必要がある交付金事業よりは遥かに自由度が高いため、総務省としてもどんどん「増やしていきましょう！」と言いやすいのです。

では、地域おこし協力隊が爆発的に増えているのに、集落支援員はどうなのか気になりませんか。このあたりには、移住を伴う地域おこし協力隊、地域住民を委嘱する集落支援員、という違いがあると思います。自治体としては地域課題と位置づけられている「人口減少」を食い止めるため、なんとしても移住者を獲得したいという気持ちを抱えています。しかし、多くの移住希望者に共通する悩みは仕事の確保です。地域おこし協力隊の制度を活用すれば、移住して地域おこしの仕事をしてもらうことができます。

そのため、地域住民の雇用を前提とする集落支援員よりも、移住者である地域おこし協力隊をどんどん募集しようという気運が高まる傾向にあります。とはいえ、地域を下支えするような集落支援員の存在も地域にとっては重要です。

先ほどのモラルハザードの話に戻りますが、特別交付税措置によってどれだけの協力隊を導入してもすべての予算が措置されるというようなロジックが通るなら、ひとつの自治体で100人も200人も募集すればよいのではないかという話になってしまいます。それこそ統計上の人口減少を食い止めるだけの協力隊を採用してしまえばいいのでは？ という思惑も湧いてくるかと思いますが、こうした考えに歯止めをかけているのも、必ずしも全額が交付されるとは限らないという特別交付税が持つ一側面と言えるでしょう。

特別交付税はあとから申請し、申請額をまとめた上で、その全額ではなく一定割合額が支給されるという性質のものですから、まずは一旦自治体で予算計上する必要があります。そこで自治体の財政担当から、必ずしも措置されるとは限らないためむやみに予算化するわけにはいかない、ということでブレーキが掛かるのです。

このようなバランスを取りつつ、移住や若者の田園回帰の動きも取り込みながら、急拡大していったのが地域おこし協力隊なのです。最近では過疎対策の中で特にメジャーな取り組みのひとつとなったことから、これまで協力隊を導入してこなかった地域では議員や市町村長から「ぜひ我が地域でも導入を！」という指示が出ていたりして、拡大している面もあります。もうひとつ急拡大している地域活性化起業人のほうは派遣する側に「地域に行きたい！　入りたい！」という思いがまだ広がりきっていない面もあることから、観光、情報通信関係にとどまっているようにも思いますが、これも認識が広がっていくと地域おこし協力隊と同じように人気が爆発するかもしれません。特に、人材が不足しがちな新しい専門分野（再生エネルギーやデジタルなど）に特化した起業人はその可能性が大いにあると言えるでしょう。

移住支援という側面　「人口減少」という課題を直接解決

先ほども少しふれましたが、地域おこし協力隊の数少ない条件として〝住民票の移動〟があります。簡単に言えば、都市部からの移住によって着任する、という条件です。2014年に内閣府に「まち・ひと・しごと創生本部」が設置されると、地方創生に向けた施策として、全国の自治体に「人口ビジョン」と「地方創生総合戦略」の策定が求められました。

日本の人口が減少に転じる中で、国としても危機感をつのらせた結果、人口1億人の維持を目標として掲げますが、国だけが目標を設定してもなかなか達成は難しい。そこで、各自治体にもそれぞれの人口動向を分析した上で、2040年および2060年の人口目標を設定し、それに向けた地方創生戦略を立案するようにと指示が出され、ほぼすべての市町村（東京23区を含む）が策定しています。

これまで多くの自治体で掲げられてきた人口などの目標値は極めて楽観的で根拠のないものが多かったのも確かです。一方で、国立社会保障・人口問題研究所が提示する人口推計は統計的に算出されるもので、特に地方の小規模自治体にとっては厳しいものでした。2014年に雑誌『中央公論』で発表されたいわゆる「増田レポート」は、「消滅する市町村523全リスト」と題して大きな話題を呼び、地方創生の動きをスタートさせる契機ともなっています。人口減少、特に若年女性の減少が著しい自治体を「消滅可能性自治体」と呼び、早急な対応を求めたことも大きく影響していることでしょう。

さらに各自治体が策定した総合戦略の内容に基づいて、国が交付金に大きく差をつける、いわゆる「選択と集中」を進めたこともあり、各自治体が一気に策定することとなりました。

しかし、人口減少を食い止めようとしても、そう簡単ではありません。いかんせん、これまでも人口減少が進む中でさまざまな施策を進めていたものの、なかなか歯止めがかかっていない現実があるわけです。一方で、近年の〝価値観の多様化〟やリーマンショックは、多自然居住地域や食料の生産地域ともいえる田舎への関心を高めるきっかけになりました。

そこで多くの自治体は人口減少対策として〝移住〟に注目し、一斉に移住者獲得に動き出します。今では東京で開催される大規模な移住フェアで多くの自治体がブースを構えてアピール合戦をする様は「移住者獲得競争」と揶揄されるほどです。東京、有楽町《ゆうらくちょう》駅前にある日本最大の移住支援組織である認定NPO法人ふるさと回帰支援センターの事務所には大半の都道府県がブースを構え、移住コーディネーターが常駐しています。喉から手が出るほど移住者がほしい中で、移住しても仕事がないという問題をクリアしたことで地域と移住希望者のWin-Winの関係がつくられたことも急速に拡大した大きな要因でしょう。特に2011年の東日本大震災によって東京などの都市部の弱みが露呈し、この動きを後押しすることとなりました。

結果として、増田レポートから一気に高まった危機感によって、地域おこし協力隊は地域課題の一丁目一番地に位置づけられた「人口減少問題」へのわかりやすい対策となったのです。

地域から抜ける若年層が入り、そして新しい「ことおこし」をする

地域おこし協力隊は、単純に移住者を後押しし、地域課題解決に向けた取り組みとなるだけではありません。人の流出が続き、どうしたら地域が盛り上がっていけるか悩ましい中で、これまで地域から離れて行ってしまっていた層が、逆に流入しているという点もプラスでしょう。

増田レポートで問題視しているのは〝若年女性の減少〟です。このように地方からの人の流出の中でも特に問題視されがちなのが若者の流出。高校卒業後に多くの若者が地域の外へと進学や就職を機に出ていってしまう。若者の流出も地域にとって大きな課題となっていました。

ここでも協力隊の存在が効いてきます。総務省ウェブサイトにあるように、協力隊の約7割が20代、30代。地域からどんどん抜けていってしまっている若手世代が、逆に抜けた先の都市部からやってくる。それぞれの事情があるとはいえ、地域から出ていってしまった若手世代がいるのに対して、地域をポジティブに捉えた人材がやってくる。そして一様

に彼らの目は輝いていて、希望に満ちている。これまでの地域のトレンドとはまったく逆の動きであることに地域は驚き、そして可能性を見出していきました。

協力隊として都市部から田舎へと活躍の場を移そうとする若者を国も「新しい動き」として支援し、メディアにも多数取り上げられるようになっていきます。メディアには「脱東京」といった刺激的な見出しが躍り、その象徴となっていったのが地域おこし協力隊でした。その点でいうとやはり集落支援員よりは遥かに華やかな存在として受け止められていきます。

また、彼らがスタートさせていく事業には、これまで田舎では無理と思われがちだった、カフェや雑貨店、書店、観光業なども多く、協力隊によってつくり出されるおしゃれな空間に近隣の都市からも人が来るようになります。インバウンドの波に乗って外国からの旅行者も多数やってくるようになると、協力隊への注目はますます高まっていきました。

もともと、都市部での安定した暮らしを手放して地域に飛び込もうとする人ですから、協力隊は一般の人よりも新しい事業への関心が高いとも言えますが、彼らがつくり出す事業が軌道に乗っていくさまは、「地域には何もない」と決めつけてしまっていた地元の人たちからすると、大きな驚きとともに受け止められたことでしょう。

行政や政治家が成果をアピールしやすい

地域おこし協力隊が実施する事業は、これまで暗い話題の多かった地域に明るい話題をたくさんつくり出しています。地域での移住者による活動はマスメディアで取り上げられやすいため、多くの住民に協力隊の活動が届きやすくなり、認知度が高まっていきます。「協力隊が地域を取材して冊子をつくりました!」「協力隊と地域の敬老会が協働して、こんなことをやっています!」といった話題はマスコミにとってはいいネタです。地方の新聞を見てみると、地域欄に協力隊関連の話題が載ることは多々あり、協力隊の頑張りがよく見えます。

こうした話題性は地域、とりわけ行政や政治家にとっても成果をアピールしやすいポイントになっています。協力隊を導入したけど具体的に何をしているかわからない、という地域の声に対して地域の購読者の多い地方紙は多くの協力隊に関わる話題を提供してきました。このような話題性の高さも、未導入自治体で導入提案が増えるひとつの要因となっているでしょう。

また費用対効果がよいという面も、導入が増える要因です。これまで田舎の地域づくりを後押ししてきたさまざまな施策の代表ともいえるのが、過疎指定を受けている地域が独自に起債（借金）でき、その償還金（返済金）の70％が普通交付税に参入される過疎対策事業債、いわゆる「過疎債」というものです。

予算額も大きく、たとえば令和5年度だと全国の起債額の総額で年間5000億円超が計上されています。先ほどの特別地方交付税ほどではないものの大きな数字で、この過疎債によって基盤整備や施設整備など、過疎地域における「活性化を目指した事業」を実施してきました。この過疎債と比較して、協力隊はその一割前後の予算規模（特別交付税措置の申請額であり、全額を支出するわけではない）で多くの前向きな話題を生み出しています。つまりとても「コストパフォーマンスのよい」制度とも言えてしまうのです。

こうしたことも多くの自治体が飛びついてきた理由に挙げられるでしょう。制度を進める総務省にも、省庁再編後のもっとも拡大した事業とも言え、大きな成果として認識されています。そのため、政治主導で数値目標が設定され、それを実現すべく、導入施策を始め、さまざまな支援策を総務省が講じてきた結果と言えるでしょう。

税金で雇用される地域おこし協力隊のジレンマ

ただ、注目が集まることはよいことだけとは限りません。注目が集まる、ということはいろんな見方をされてしまう、という面もあります。たとえば、先に挙げたカフェや雑貨店、書店や観光業を協力隊がスタートさせていく。それを見ている地域住民からすると、「それって民間事業だよね。なぜ税金で雇用される協力隊がやるの?」という話になることも、しばしばあります。前述の通り、協力隊は税金で雇用され、報償費は2024年には年額最大で420万円にもなります。地域の若者からするとよい給料という印象を持たれがちなため、疑問を持つ人も少なくないのです。

カフェやゲストハウスなどの事業ならまだわかりやすいほうで、たとえばSNSなどへの情報発信をミッションとしている協力隊も多くいますが、彼らはスマホやパソコンをいじって遊んでいると勘違いされてしまう場合もあり、「それがどう地域おこしにつながるの?」という疑問を持たれがちです。このあたりは、そもそも「地域おこし」って何だ?という根本が整理されていないために起こる疑問です。

大学の授業などで学生のレポートを見ていると、地域のよし悪しは知名度やイメージで決まると思っている人が多くいますし、地域活性化とは知名度が上がることだと思っている人も多くいます。ぜひ考えてほしいのは、「知名度やイメージが上がると何がよくなるのか?」ということです。もちろんそれによって人がたくさん来てくれればいい、という面もありますが、人が来ると何がいいのかという疑問も湧いてきてしまいます。

これは「人口が増えれば地域は活性化するのか？」という疑問にも似ているところがあるのですが、直接的に地域をよくすることにはなりません。それでもよいのですが、どう〝地域がよくなる〟につながっているのかという説明と理解は必要でしょう。さらに言えば、その〝地域〟の捉え方というのも人によって違っていたりします。税金で雇用されていることによって、多くの人の関心を集めてしまう、そして多少なりとも羨ましがられてしまうところも悩ましいジレンマです。

特に協力隊はただ移住してきた個人が好きにやる活動ではなく行政が雇用していることもあり、自治体の広報誌などで活動内容が紹介されることも多々あります。そしてこうした記事は地域の方々からは結構読まれているものです。それもあって余計に協力隊の活動が多くの人、必ずしもポジティブに捉えていない人にも伝わっていくので、肯定的な意見もあるものの、批判的な意見も地域の中で聞こえてくるようになっていってしまうのです。

どんぶり勘定的だからこそ、活用しやすい地域おこし協力隊

いろんなジレンマを抱えながら活動している協力隊。そのジレンマを極力排除したいものですが、どうしたらそこがクリアになるのか。簡単に言えば、「わが町の『地域おこし』はこれです」と明確に打ち出せるかどうか、という点があるかもしれません。あるいはこの事業を立ち上げている総務省が「地域おこしとはこういうことですよ！」という明確な方向性を出してくれたら……という話になりそうですが、それもまた難しい。

実際に各地域で「まちづくり」の方向性を示しているのは、各自治体がつくっている総合計画なのですが、それを見ても抽象的かつ総花的な言葉がたくさん並んでいて、結局何がしたいのかよくわからないものも少なくありません。自治体がつくる最上位計画なので、自治体の意志とも言えるのですが、地域に住まう多様な方々を支える公共団体としての責任もあり、強く尖った総合計画、というのはつくりにくい。風呂敷を大きく広げておいて、各部署が打ち出す多様な計画をそこで受け止めようとするわけです。

総務省でも各地域で、それぞれ〝独自の〟「地域おこし」が展開されることを期待すればするほど、「地域おこし」の定義を明確にできなくなってしまいます。協力隊のミッションは地域おこしですが、これも「地域づくりはこうあるべし！」といった明確な規定をしてしまえば、協力隊の自由度は落ちてしまいます。計画やビジョンを明確にし、そこに至るプロセスを細かく事前にデザインすれば、しっかりした活動ができるとも思いがちですが、そこに協力隊を当てはめると、地域からは「活動内容が指示されているならば、別に誰だっていいわけで、どうしてわざわざ外から人を呼んできて、そこに税金をあてなくてはいけないの？　むしろ地元雇用してほしい！」という声が出てしまいます。

地域おこし協力隊は都市圏からの移住を前提にしていますので、移住者ならではの発想というものが活動を企画する上でも大事なのですが、それと詳細なつくり込みというのはどうにも矛盾してしまうのです。

協力隊という制度は総務省がつくってはいますが、その詳細は驚くほどに決まっていません。ゆえに「制度がゆるすぎる」という批判も多くあります。とはいえ地域の独自性や主体的な取り組みを支援する制度として協力隊を位置づけると、国レベルで「これは地域おこし、これは違う」というような規定はますます設けにくくなってしまいます。この制度は国が用意しつつも、導入する地域に柔軟に対応してもらうための幅を持った制度ということです。どんぶり勘定のような制度だからこそ、自由度が高まり利用しやすくなります。

とはいえ、自由奔放でいいというわけではなく、地域としては先ほど挙げたような疑問が地域住民から出てこないように、十分に検討してから協力隊を導入することが大切になってきます。また、協力隊が活動する現場でも多くのコミュニケーションが生まれるのですから、そこで丁寧に「活動」と「地域おこし」の関係を説明して、理解してもらう必要があるでしょう。

「外部人材」による地域づくりの意義

先述の通り、移住を条件として税金が投入されているのが地域おこし協力隊ですから、ただ「活動」と「地域おこし」がつながるだけでなく、そこに「外部からやってきた人ならでは」の要素も必要になります。そう考えると先ほど挙げたような、地元からは「田舎では無理！」と言われがちな活動を展開して成功してみせる、というのも移住者ならではと言えますね。

また、協力隊の活動は地域の多くの方々とのコミュニケーションをベースに進んでいくのが一般的ですが、ここで重要なのが地域に対するポジティブな思いです。地域の方々は必ずしも地元の地域によいイメージを持っていません。地域を選択する経験のないまま長く住んでいると、最初こそ発見もあって刺激があるものの、30年、40年と同じ暮らしですから、どうしても地域資源の存在は当たり前になってしまいます。しかもテレビなどを観ていると便利でおしゃれな都会の話題がたくさん出てくる。ないものねだりではないですが、どうしても自分の地域の不足感が大きくなってきます。そして、これまでの数十年間、人は出ていくもののなかなか入ってこない。するとどうしても自地域に対するネガティブな評価が強くなっていってしまいます。

それに対して協力隊はその地域を「選択」しています。これが重要だと私は思います。今や地域おこし協力隊の募集は全国にあり、地域同士で候補者の取り合いをしている状態なので、協力隊になろうとする側からすると、行く地域の選択肢はたくさんあります。そんな中から選んだ場所が今の地域。つまり、あらゆる候補の中から、個人的な条件はあるものの、ナンバーワンになったのが着任地ということです。

都市部の若者から「選ばれる」ということに、地域の方々は驚きを感じます。そして協力隊自身が地域の方々とコミュニケーションを図る中で、「なぜこの場所を選んだのか」「何が決め手となったのか」ということを伝えることが、地域の小さな自信につながっていくのです。

特に人口増加のためや、人口減少を食い止めるべく活動を行ってきたにもかかわらず、人口流出がとまらずに閉塞感を抱えている地域の人びとにとって、再び前を向くための価値観を転換させる思考を内発的につくり出していくことは難しい。そんなときに協力隊のような、若くていかにも都会にいそうな人が地域を「選択」するということが、地域の人びとの気持ちを前に向かせるための最初の一歩として重要です。

これはひとりの人間にたとえて言うならば、ちょっと自信を失っている友人に対して、元気を出してもらうべくどう声掛けをするか、ということです。多くの人はその友人が持つ「よいところ」を挙げながら励ますのではないでしょうか。地域も人の集合体ですから、考え方は同じなのです。長く暮らしてきて、当たり前になってしまった地域の「よいところ」を挙げて、元気を出してもらう。それが地域づくりの最初の一歩になるのです。そして小さな自信を取り戻した人からは小さな前向きな発言が出てくることがあります。これもとても重要です。

これまでは新しいアイデアを出そうにも、出しづらい雰囲気がある地域が少なくありませんでした。というのも、いろんな取り組みをしては成果が上がらずの繰り返しだったため、新しいアイデアを出しても、どうしても前向きに評価できずに問題がある部分にばかり目がいってしまうのです。

よく地域社会の悪い面として「若い人の意見が潰される」という話を耳にしますが、これも同じです。潰す側は若い人から出た意見を否定したいのではなくて、自身の経験に基づいてよかれと思って助言していることも多々あります。しかし、指摘をされる側は指摘された時点で、指摘事項をクリアできず前に進めなくなり、その繰り返しでだんだんアイデアを出すこと自体をしなくなっていってしまいます。アイデアを出さなければ指摘されることもありませんから。こうして地域ではますます新しいことにチャレンジしにくい〝空気感〟が広がっていってしまうのです。

ネガティブな空気感の漂う状況を打開するには、小さな声を後押しすることによって〝小さな成功体験〟を得ることが重要です。小さくとも成功体験を経て自信を深めることで、少しずつ主体的な取り組みが生まれてきます。

こうした動きはなかなか〝地元〟だけでは難しく、地域を第三者の視点から評価する協力隊のような立場の人がいて、地域の方々とコミュニケーションを取ることで、初めて地域の方々の気持ちも変わってくるという特徴があります。つまり、協力隊が地域の中でコミュニケーションを取っていくだけでも、地域の目は変わってくるわけです。外部人材の活用はここの部分をわきまえながら進めていくことが大切です。

このように地域の状況に応じて、どのような立ち位置に協力隊を配置するかを検討することは、協力隊による地域づくりを進める上ではとても重要なことなのです。

協力隊のあるべき理想の立ち位置

「どのような立ち位置に置かれるか」が重要と言いましたが、ではどのようにその立ち位置を見極めるかは難しい問題です。というのも、先述の通り「地域づくり」と一言で言っても、そもそも何が「地域づくり」で、何を目指していくのかはっきりしません。これは「地域づくり」や「まちづくり」「地域活性化」、さらには「地方創生」まで地域をよくしていこうとする取り組みに与えられている名称がことごとく、明確に定義づけられていない、ということが影響しています。なので、誰だって何だって「地域づくり」になるし「地方創生」になってしまうのです。

さらには、こうした曖昧な〝地域の前向きな変化〟を起こしていくために必要なのが「地域おこし協力隊」で、それが唯一無二の方法なのか、というと必ずしもそうではないですし、もっと多様な方法が考えられます。しかし、特に過疎化の進む地域では、とにかく「協力隊に地域課題解決をお願いしよう！」という雰囲気になってしまっています。ただ、その〝地域課題〟もまた曖昧で、深く分析されたものでないケースが少なくありません。

考えてみれば、明確な専門性を有しているわけでもない協力隊に地域課題を解決してもらえるほど、地域課題って簡単ではありませんよね。もっと言えば、それができるなら今までの人でも十分解決できたはず。ただ、「地域課題解決のために協力隊を！」というと、地域の人たちにも理解されやすく、募集するにあたって応募者にも〝期待されている感〟が出るということがあります。しかし地域課題に限らず、課題というのは根っこの部分からきちんと対応しなくては場当たり的な対応になってしまうものです。

では、どうしても注目を集めてしまう協力隊、どのような立ち位置が適当なのでしょうか？　今一度、協力隊の特徴を整理してみると、ひとつが移住者であること、ふたつめに非専門家であること、というのがこれまでの協力隊では大きいところです。となると、このふたつの性質を兼ね備えたような人が活躍しやすい場面と、地域づくりの中での位置づけを考えてみましょう。

おそらくそれは地域づくりのプロセスの中でも初動的な部分ではないでしょうか。というのも〝移住者〟ならでは、とはどういうことかというと、「外の目」です。つまり、地域の人たちには見えなくなってしまった地域の価値を外の視点で評価することを通じて、地域の価値観の転換を図っていくことです。

そして非専門家というのは、自らの専門性（やりたいこと）に向かって地域を引っ張っていくというよりも、気持ちの面で地域の背中を押していき、活動は地域の方々と協働していく、というところが向いていそうです。そう考えると、地域づくりの中でもどのあたりの部分を担うことがよいか、なんとなく見えてきますよね。このように、何でもかんでも「協力隊で！」というのではなくて、協力隊には協力隊の落ち着く地域づくりのプロセスの中での場所がある、ということが見えてきます。

地域づくりの物語の中に各種施策を位置づける

協力隊の立ち位置が見えてきました。となると、2章で紹介したほかの制度も気になりますし、そもそも人的支援を入れないと地域づくりは進まないのか、という疑問が湧いてくる読者の方もいるのではないでしょうか。人口減少が続き、人材不足と言われてきた地域だから人材は喉から手が出るほどほしいのですが、それに制度による人的支援が適しているのか、冷静に考える必要があります。

ただ難しいのは、先にも書いたとおり、地域づくりのプロセス自体が明確に定められていない点です。そもそも「地域づくり」や「まちづくり」という言葉自体も非常に曖昧で、明確な定義（意味づけ）がなされていないため、いかようにも解釈できてしまうことの問題もあります。

じゃあ地域づくりとは何だ？　となるのですが、私は今のところ、地域における「自治の再生」というふうに考えています。戦後の日本の行政では、民主化もあって政府が大きくなっていきました。かつては自分たちでやっていたことを、どんどん行政が肩代わりしてくれるようになったのです。そして、行政は有権者である住民に対してどんどん〝いい顔〟をするようになっていきます。ところがそれが過ぎたのか、箱物行政による行財政の悪化によって、今では自主財源で予算をまかなえる自治体は非常に少なくなってしまいました。そこで「協働」という名のもとで、市民にも公共的な仕事を担ってもらおうというのが今日までの基本的な流れです。

しかし、実際に地域に入ってみると多くの住民は「なかなか厳しい」というSOSを発している状況。すっかり行政頼みになってしまっています。この状況から少しずつ、地域の主体性を引き出しながら、最後は自分たちで自分たちの地域を治める、つまり「地域自治」にたどり着きたい。

ここではあえて「地域自治」という言葉を使っていますが、実はこれも非常に曖昧な概念です。「自治」の仕組みを分解してみると、一般的には行政を指す「団体自治」と、それを監視する「住民自治」、住民自身による活動である「住民活動」があります。ですが、私がここで言う「地域自治」は住民活動の「住民」を居住者という枠組みから解放して、地域外の志ある人も含めた広い担い手を想定しています。つまり、地域住民だけでなく、地域外のさまざまな協力者とともに地域の未来を主体的に、さらにはさまざまなテーマを総合的に解決していける状況をつくっていけるようになることを地域づくりのゴールと考えるのがよいと思っています。というのも、「地域」というとわかりにくいのですが、簡単に言えば人の集合体です。では集合している個人個人を見ていくと、「人の自治ってなんだろう?」という問いに行き着くわけです。それを私は、「自分の暮らし方や未来を自分の力で決断し、それを実現していく」ということだと思っています。

大学で学生と話をしていると、進学先や就職先について、親の意向が強く働いていることをよく耳にします。自分の人生でしょ! と思うところもありますが、なぜそこまで親の意向に従うのかというと、昨今よく言われる毒親の問題というよりも、やはりこれまで世話をしてくれ学費も支援してくれている、という面が大きいように感じます。自分で学費を稼げていれば「自分の人生だから自分で決める！」と強気に出られますが、親に学費を出してもらっているとなかなかそうも言いにくい。

そう考えると自分で稼げているというのは結構大事ですね。では稼げてさえいればそれでOKかというと、そうでもありません。一人前の大人としてきちんとお金の使い方をマネジメントする必要がある。それができないと半人前扱いされてしまいます。つまり、自分で決定する力と、自分で実行する力の両方が必要です。

これを地域に置き換えてみると、地域自身が稼ぐというのは理想ですが、そこはなかなか難しい面もあります。また地域活動の場合は自ら稼ぐ以外にもさまざまな資金の調達方法がありますので、各種団体が募集するような助成金に応募したりしながら活動費を捻出することは可能です。

ただ一番大事なのは、何をしていくのかを議論する力です。重要でありながら、今一番欠けている力でもあります。これまでどんな策を講じてきても人口流出は止まらず、地域は衰退してきました。すっかり自信を失ってしまっている状態です。そして、どうにもならぬまま時間が流れてしまう「縮小均衡」の状態にあります。

この状態から、先に示したような「地域自治の再生」に至るまでの大きな物語が地域づくりには必要なのです。その壮大な物語のどこにどのような人的支援がフィットしていくか、あるいはフィットしやすいか、を考えてみたいと思います。

地域づくりの流れ

地域づくりはどのように始まるのか。一番わかりやすいのは危機感です。地域の衰退状況に危機感を持った個人がその問題意識を周りの人に伝え、共感を得ながら広がっていく流れです。ただ、危機感というのは何かきっかけがないとなかなか抱けません。というのも、地域は「縮小均衡」状態にあり、この均衡状態を打ち破ることがまず必要です。

たとえば災害です。過疎地域で大きな災害が発生すると、それを機に一定量の人が地域を出ていってしまいます。もともと生活条件が厳しい中で暮らしてきたので、災害が移動するきっかけとなることは、2024年の年明けに起きた能登半島地震のニュースでも報道されていました。しかし、全員が全員、都市部への移動を望むとは限りません。一部は出ていき、一部が残るという状況が生まれます。そして残った人びとは、大幅に人口が減ってしまった地域をどう再生していくかを必然的に考え始めます。これが危機をきっかけにスタートする〝復興〟地域づくりです。

ほかにも公害反対運動から始まったものや、町並み保存など、暮らしの中の豊かさが失われていくことに対する危機感からも、地域づくりやまちづくりは始まっていきます。

しかし、人口減少の伴う過疎化を危機として捉えるというのは簡単ではありません。災害や公害、町並み保存の場合は大きな出来事がありますが、人口減少や地域の衰退は何かきっかけがあって始まったことではなく、じわりじわりと進んできたことです。地域としてはなんとなく人が減ってきた、気づいたら手遅れだった、というような感じになってしまうのです。

ですから、まずはこの縮小均衡を打開する必要があります。そこには、それまでの地域にはなかった〝何かの出来事〟が必要です。縮小均衡が打開されたあとは、自信を失っている地域が少しずつ自信を取り戻していくプロセスが必要となってきます。自信を取り戻していくとやがて主体性が再生していき、難しいことへもチャレンジできるようになっていきます。このプロセスの中で地域の人たちが、諦めていた地域に対して少しずつ期待や希望を持ち始め、やがてそれが強くなっていくのです。

しかしこのプロセスは、自分たちだけで実現するのは非常に難しい。というのもここには〝価値観の転換〟という大きな変化が必要だからです。これまで〝田舎臭い〟と思っていたものを〝田舎らしさ〟と言い換えるプロセスは、容易ではありません。自分や自分たちの特徴を客観的に自分たちで確認することは難しい。そこには外部の力が必要です。たとえば、私たち一人ひとりが、背が高いとか低いとかそれぞれ認識していますが、それは他人と比較するからそう認識するわけです。地域のよさも、実は地域の外と比較しないと気づきにくい。外部の人との地域にまつわるコミュニケーションを通じて自分たちの特徴を理解することができます。そうして自分たちの地域の〝よさ〟を認識することで自信が湧き、自信が湧くとやる気が出てくる、つまり主体性が生まれてくるのです。

次のページの図をご覧ください。先にも書いた通り、「小さな成功体験」が地域の雰囲気を変える足がかりとなり、この小さな成功体験の積み重ねが少しずつ仲間の輪を広げ、活動グループ（活動主体）がなんとなくできあがっていきます。こうなってくると少しずつ地域づくりが動き始めます。このような小さなグループが複数出てくると、それぞれのグループが連携してお互いの弱点を補い始めたり長所を活かし合ったりしながら、新しい活動を生み出していきます。その後の段階にまでなってくると、言葉は硬いですが、地域が持っている課題への対応も含めた「地域自治組織」という雰囲気になってくるのです。地域自治組織では地域の総合的な取り組みを展開していくこととなるので、その中には福祉的な取り組みもあれば、経済活動が含まれることもあります。ここは多様です。

地域は何もない状態から、このようなプロセスを経て元気を取り戻し、地域の持続性を生み出すと言えるでしょう。これが先ほど言った、『『地域自治の再生』に至るまでの大きな物語」です。

これに10年かかることもあれば、数年でできる場合もあるかもしれません。それはもう雰囲気次第、というところがあります。また、早ければよいのかというと、そうでもない。

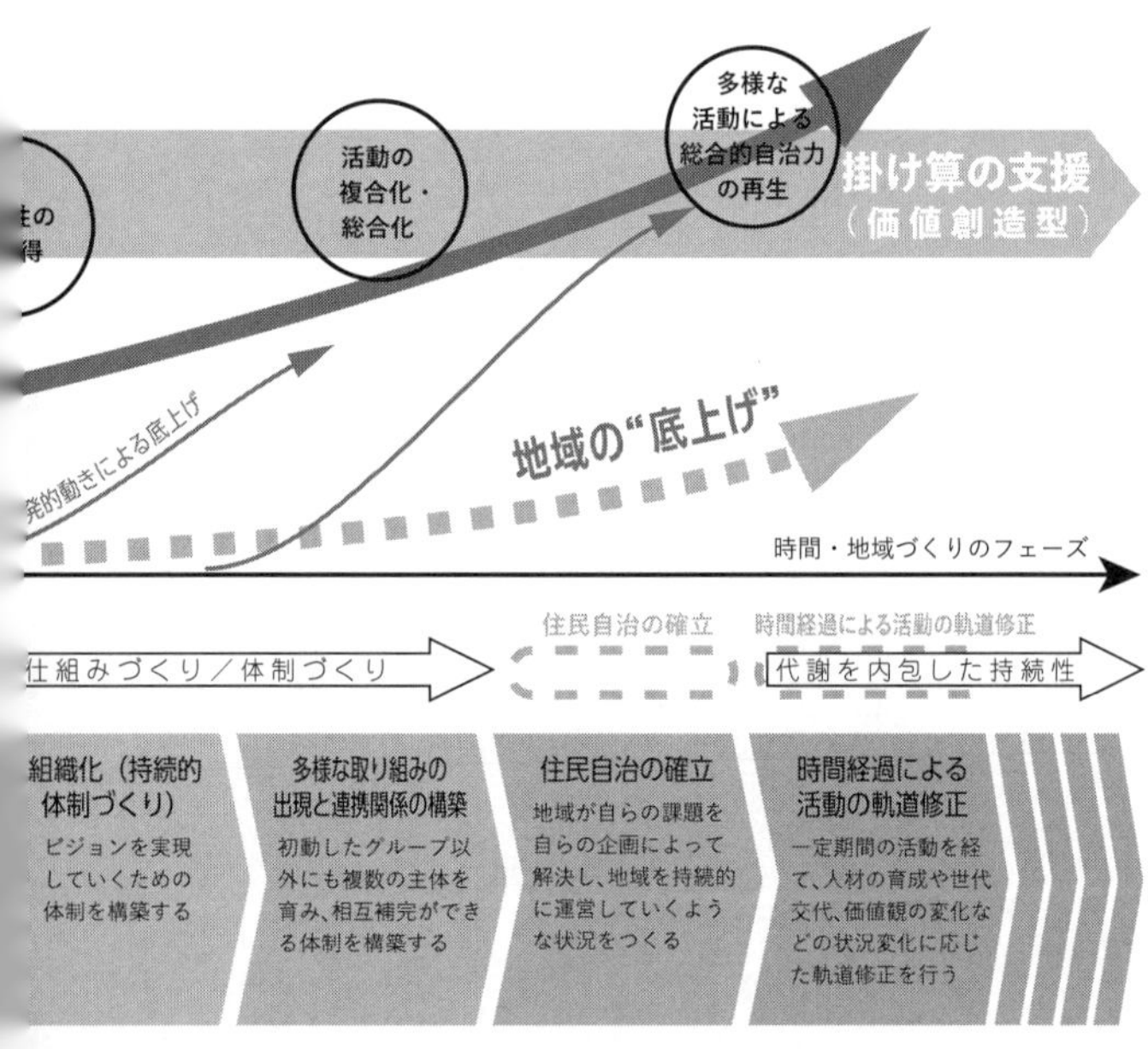

多様な活動による総合的自治力の再生
活動の複合化・総合化
掛け算の支援
（価値創造型）
地域の“底上げ”
時間・地域づくりのフェーズ
住民自治の確立
時間経過による活動の軌道修正
仕組みづくり／体制づくり
代謝を内包した持続性
組織化（持続的体制づくり）
ビジョンを実現していくための体制を構築する
多様な取り組みの出現と連携関係の構築
初動したグループ以外にも複数の主体を育み、相互補完ができる体制を構築する
住民自治の確立
地域が自らの課題を自らの企画によって解決し、地域を持続的に運営していくような状況をつくる
時間経過による活動の軌道修正
一定期間の活動を経て、人材の育成や世代交代、価値観の変化などの状況変化に応じた軌道修正を行う

早いということは、同時に全員がついていきにくい、という側面もあるからです。当然大きな地域になれば動きは鈍くなりますし、小さな地域で勢いづけば一気に動いていく、ということもあります。これはそれぞれの地域の雰囲気次第なのです。

ではこうした動きの中でどこに、どのような人的支援の施策が向いているか。あるいは本書のテーマである地域おこし協力隊がどこにフィットしやすいか、ということを考えてみましょう。先ほども書いたように協力隊の特徴のひとつめが移住者であること、ふたつめが非専門家であることを思い出してみると、最初の縮小均衡の打開の地点がまずフィット

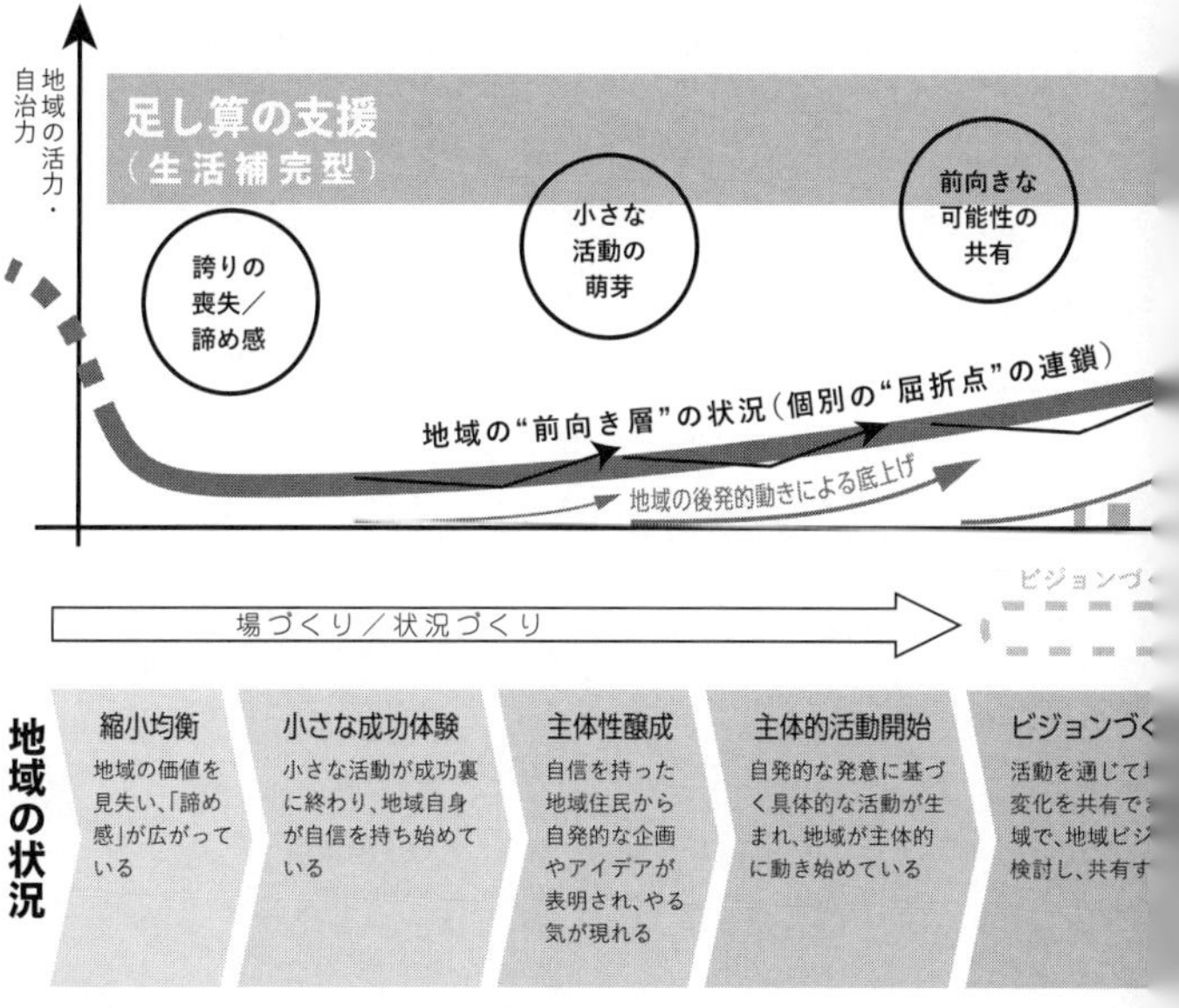

地域づくりのフェーズ

します。

　何も動きのないところに、協力隊が着任する。当然協力隊として地域を動かす必要があるので、あちこち動き回ります。地域としては「おやおや？　なんだ？」と、変化を認識するわけです。ときどき、何もない水面に小石をポンッと投げ込むようなことだ、とたとえられたりしますが、地域には小さな波が広がっていきます。そして、地域を前向きに選択した移住者である協力隊が、地域のよいポイントをどんどん地域住民に話していく。これが先ほど述べた「地域の特徴の自覚」につながるのです。なるほどなるほど、こう見られているのか、と地域の方々が認識することで、自分たちでは価値を感じていなかったことが長所であることに気づいていきます。

　そして、協力隊は「活動経費」を持っていますから、その中で生まれた小さな主体性を実現していくことで、地域の中には「小さな成功体験」が広がっていきます。このあたりが一番、〝協力隊らしさ〟が出る取り組みと言えるのではないでしょうか。さらに活動が軌道に乗ってくると、具体的な〝不足するスキルや人材〟が明らかになっていきます。つまり活動を展開していく中で、「こういうスキルを持った人がいてくれればなぁ」というような思いが出てきたときにもまた、協力隊がフィットする可能性があります。そういうときには、該当するスキルを持っている人に協力隊として来てもらいましょう。

これがとても高いスキルを要求する水準になってしまうと、もはや協力隊ではなくて専門家の招致になってしまいますが、たとえば、経験は浅くとも絵心があったり、デザインセンスがあったり、料理が得意だったり……といった人たちを募集するのです。そういう人たちは自分のスキルだけで食べていくには難しいけれど、生活の中で自分が持つスキルを活かせたらいいなぁ、とは思っていたりします。そういう人を協力隊として受け入れ、一緒に成長しながらやっていく、ということはありうるでしょう。

このように初動的な部分では協力隊の活動の可能性はとても広いのです。一方で、結構活動が進んできて、ビジネス化を進めていこうと考えていたり、すでにビジネスを始めているもののテコ入れが必要だったりするときには、本来的には非専門家である協力隊は向きません。むしろビジネスのノウハウをもった専門家にきちんと対価を支払って来てもらうような緊張感が双方に必要だったりしますね。

活動が成熟していくと求められるのは非専門家よりも専門家に移り変わっていきます。ですので、人的支援の施策を利用するのであれば、協力隊よりも地域プロジェクトマネージャーなどが適しているでしょう。では、ある程度活動が進んでいる地域には協力隊は不要なのかというと、そうでもありません。

地域の中には活動に積極的な人と消極的、非積極的な人がいて、そこに温度差がありま す。これを「受容の幅」と私は呼んでいます。つまり、新しい動きにどんどんついていっ て乗っかっていくタイプの人と、こうした動きに慎重なタイプの人。どちらも間違ってい ませんが、地域には両方のタイプの人がいて、もっといえば両者は分かれているというよ りもグラデーションになっています。協力隊がしてきた「小さな気持ちの後押し」のよう な取り組みは、地域の動きが盛り上がっていても、そこから距離をとっていたり乗り切れ ていなかったりする人に対して行われていくことが大切です。地域全体がよくなっていく ことを考えると、トップを引っ張る人を押していくよりもむしろ、そこに乗っていない人 たちを底上げしていくことのほうが大切な場合もあります。こういうところにはいくらで も協力隊の活動に期待できることがあるでしょう。

よくも悪くも注目が集まりやすい地域おこし協力隊。地域づくりのプロセスの中で効果 的に活用していくことが大切なのです。

第4章

協力隊は、何をおこすのか？

「地域振興」を再考する

地域おこし協力隊をその字面だけで考えると「地域」を「おこす」ために協力することが主だったミッションです。その流れは前に書いた通り「縮小均衡」状態にある地域が何らかのきっかけを機に動き出し、最終的に「自治」を再獲得していくことだと思います。ただ、どうなったら再獲得している状態なのか、というのも実ははっきりしません。やはり概念として曖昧な部分があります。

「地域おこし協力隊」というはっきりしない言葉の組み合わせには、よい面と悪い面の両方があります。よい面はそれぞれの地域の事情に合わせて柔軟に使えるところ、悪い面は結局何をしたらいいのかはっきりしないところです。地域振興も長年続けられてきた取り組みである割には、何をもって「成功」とするかは非常に曖昧なままです。つまり、見方によっては成功にも見えるし、見方によっては失敗にも見える、ということが多々起こるのです。

これまでなかったような目新しい取り組みを展開する地域で「地域づくりの先進地」と呼ばれ、多くの視察団を集めている地域もあります。そういう地域に出かけていくと、確かに先進的な取り組みも行われていますが、意外と地域の人たちは「普通」の暮らしをしているものです。そう考えると、何が「先進」なのか？　協力隊がおこすのは何？　どういう方向に向かえばいいの？　よい地域って、どういう地域？　とたくさん疑問が湧いてきてしまいます。

この章では、地域の課題を解決するということを、地域で暮らす人びとの視点から見ていきたいと思います。

「人口至上主義」への疑問

最近、いろんなところで「地域課題は？」というと、第一に「人口減少」が挙げられることがほとんどです。ただ、私がへそ曲がりなのかもしれませんが、私たちは「人口」に囚われすぎているのではないかと疑問に思っています。

私が「人口って何だろう？」と考えるようになったのは、内閣府の地方創生の交付金関係の会議に参加したことがきっかけでした。官僚の方々と議論していたのですが、「人口」に関する議論がなかなか噛み合わない。なぜかと考えていると、そもそも人口に期待することが異なっていることに気づきました。国家レベルでの「人口」というと、国家としての生産力と捉えることができますが、地方における「人口」はまた違う意味を持ちます。テーマによって「人口」への期待が大きく異なってくるのです。

「平成の大合併」で自治体という単位はだいぶ変わりました。人口が多いのに、実際に行ってみると、結構田舎だなあという印象を受けることもあります。ひとつの自治体に人が均一に暮らしていれば、人口と面積でなんとなく地域の様子はイメージできますが、実際には自治体という範囲の中には当然のことながら人口密度の高い地域と低い地域が混在しているものです。平成の大合併によって自治体が非常に広域化してしまった現在では、もはや「人口」は地域の様子を表し得なくなってしまっています。

それでも依然、私たちの中には暗黙の認識として「人口＝活性度」のような感覚があり、地域課題は人口減少で、人口が増えれば地域は活性化すると考えてしまいます。私自身も、人口＝まちの規模、みたいなイメージがまだ残っていて、どこかの地域を調べるとなると、最初に人口をチェックしてしまいます。そして、人口が多いと都市なんだなとか、人口が少ないと田舎なんだなと、なんとなくのイメージを持ってしまうのです。

本当のところはどうなのでしょうか。地域にとって「人口」はどういう意味を持つのか、今一度考えてみることが大切なのだと思います。というのも今の時代、人の価値観やライフスタイルは非常に多様化しています。かつてのように画一的なライフスタイルで、同じような価値観で生活していれば、同じような方向を向いた人の数が地域の様子を表現できたでしょう。しかし、価値観が多様化すると人びとが向く方向も、地域の望む姿もバラバラになりやすい。そもそも「地域特有の雰囲気」を求めていない人だっています。「地域」という結びつきに対する認識だって多様化しています。

さらに、住んでいる人の雰囲気も考えてみましょう。たとえば、元気のない人が多く住んでいる5000人のまちと、いきいきした人が多く住む2000人のまち、どっちがいいのか？ という問いかけをしてみると、多くの人は後者に軍配を上げます。もちろん〝元気のない人〟を否定するということではありません。ただ、元気な人がいるから元気のない人もフォローできるのですから、元気のない人ばかりだったり、地域に無関心な人ばかりだったりする地域ではどうしてもコミュニティは育まれません。

にもかかわらず、一般化した「地域づくり」や「まちづくり」になると、どうしても「人口」という議論になってしまいます。

2章でも書いたとおり、そもそも人的支援のような施策が始まった背景には、人口が減りつつも元気を取り戻しているような地域の存在がありました。ですが、こういう地域でも「人口が重要なのではない」と言っていたはずが、人口動態が社会増、つまり転入者が転出者を上回った途端に「社会増になりました！」と人口の議論になってしまいます。都合の悪いときだけ「人口ではない！」と言っていて、ちょっといい数字が出たら「人口！」に戻ってきてしまう。これでは、「やっぱり人口が大事なんじゃない？」と言われてしまいます。

人口にはまったく意味がないと言っているわけではありません。たとえば、国際的なプレゼンスを維持するために、世界第○位のGDPを維持しなくてはいけないとなると、人口はそれなりに効いてきます。生産性が上がっても人口減少によりせっかくの生産性向上の効果が十分に発揮されない人口オーナスが働き、生産性と同じくらいの成長ができない、ということが起こりうるのです。そういう点で言えば「人口」は多いに越したことはない、となります。

しかし一方で、本書で取り扱う「地域おこし協力隊」が活躍する地域社会における「地域づくり」や「地域おこし」の中での「人口」を考えると、よくわからなくなってしまいます。確かに人口が多くなるに越したことはないのかもしれませんが、価値観の多様化という社会の流れは、住んでいる人がみな地域社会で地域活動に積極的に関わるわけではなくなっていくことを意味します。各地で町内会にまつわるいざこざの話題が定期的に出てくるのも「なぜ、町内会に加入しなくてはいけないのか？　加入は任意ではないのか」という議論です。そしてそれを否定してはいけないのが価値観の多様化した現代社会の一側面と言えるでしょう。こうなってくると、人口＝地域に関わる人、ではなくなっていきます。こうした流れは都市部だけにとどまらず、協力隊が活動しているような過疎地域でも広がってきています。

よくＳＮＳなどでは「田舎は閉鎖的だから」というコメントを見ますが、田舎もまた結構多様化が進んでいますし、田舎だからとみんなが協力することを強要してもいけません。もはや「人口＝地域の戦力」とはならなくなり、さらには「人口が多い＝地域が活性化している」とはならないのです。

経済施策における「人口」

経済施策でいう「人口」は、就労人口であったり、商圏人口であったりします。東京一極集中と言われているけれど、地方の人口を維持するためには地方に雇用の受け皿をつくっていく必要がある。地方に多く立地するのが中小企業です。

今、地方の中小企業の廃業が進んでいますが、２０２３年版の『中小企業白書』によると、廃業する企業の過半は経常黒字という実態があります。ではなぜ廃業となるのか。その理由の多くは従業員の高齢化と後継者の不足です。つまり、経営状態は決して悪くないのだが働いてくれる人がいない、高齢化した従業員の次の世代がいないのです。

なぜ、地方の若者はこうした中小企業に就職してくれないのか。簡単に言えば、「キャリアが上がった」ために、若者のニーズが地方にある仕事とマッチしなくなったことが大きな要因でしょう。特に今、地方では「若年女性の流出」が大きな課題となっています。ただこれは、裏を返せば「若年女性のキャリアが上がった」結果でもあるので、課題というよりむしろ歓迎すべきことでもあります。

では、地方の経済を支える中小企業に未来はないのか、ということですが、そこで政府が進めているのが外国人労働力の導入です。入管法の改正は一時話題になりましたが、今や地方の農業や中小企業に、外国人労働者を多く入れている企業や農家も増えてきています。

こうした現状には、日本人のキャリアと産業立地の特徴がよく現れているとも言えるでしょう。日本の場合は国土が細長いので、どうしても中心軸にある東京や大阪の利便性が高い。そのため特に三次産業（小売業、宿泊業、飲食サービス業、医療・福祉業、金融業、情報通信業など）の産業が集まりやすいのです。就労する側もこれまで地方の中小企業へ就職を希望していたような層が進学によってキャリアを上げたことで、東京や大阪を始めとした都市部にあるようなホワイトカラーへの就職を希望し、移動するようになりました。ある意味、国の発展の一側面でもあるのです。

それから、商圏人口という議論もよく耳にします。人口が減ってしまうことで商店街や地域商店の客層が減り、経営が立ち行かなくなることで廃業、結果的に買い物を始めとした各種サービスにアクセスが難しくなる、という話です。ただこれもよく考えてみると、地域商店などの課題は商圏の拡大かもしれません。これまで徒歩や自転車などで移動していた人たちが車で移動するようになり（モータリゼーション）、より遠くの大型スーパーへ行けるようになってしまった、ということです。さらに物販についてはどんどんインターネットに移行して、グローバルに広がっています。そのため、「商圏」という概念自体も考え直していかなくてはいけないのが昨今の物販事情と言えるでしょう。

地域振興施策における「人口」

では、地域おこし協力隊に関連が深いと思われる、地域振興における人口はどうでしょうか。地域振興上の課題は地域の担い手です。具体的には地域の共同作業などで一緒に活動してくれる仲間と言ってもいいでしょう。これまでは集落活動というと全員参加が当たり前でした。しかしここにも価値観の多様化の波は少しずつ押し寄せていて、集落活動には参加するもののお祭りには参加しないという人たちも少しずつ増えてきています。また「参加したくない」人だけでなく、高齢化によって「参加が難しい」という人も増えてきています。そうすると、ますます地域における住民活動の担い手は減っていってしまいます。

これは集落活動のみならず、農業も同様です。高齢化だけでなく農業離れによって農地管理の担い手がいなくなり耕作放棄地が増えていき、耕作している田畑でも害虫の発生などによって効率が落ちています。地域の文化を支えるお祭りや産業、ライフスタイルのベースにある農業の双方とも担い手不足が深刻化しています。

では、こうした地域に先ほどの産業振興のための人材確保のように、外国人労働力の導入で対応できるかというと、それはなかなか難しい面があります。外国人労働者は法的には年限が決まっていますが、お祭りや農業などには長い経験をベースにした信頼関係も必要です。ここには文字通り「移住」して、地域の文化や農業に強い関心を持った人たちの存在が必要です。そして、ここに比較的フィットしやすいのが地域おこし協力隊と言えます。

ほかにもたとえば農家の減少があり、農業の担い手の確保という問題もあります。これは先ほど書いた「労働力人口」では？　と思われるかもしれませんが、農業の場合は農法などの問題もあり周辺農家との調整が必要ですし、単純に人出があればうまくいく、というほど簡単ではありません。地域の気候や日々の気温などを鑑みながら各種のタイミングを計るノウハウも必要です。そのためにもフラッときて、フラッと去っていくような人ではなかなか周辺農家との関係をつくり、上手に農業を進めていくことが難しいのです。その点で言えば、地域振興と似たような位置づけと言えるでしょう。実際に農業の分野でも外国人労働力の導入は進んでいますが、後継者というよりも農繁期の労働力不足対応の側面が強いように思います。

どちらも単純に人がいればよいというのではなく、地域とよい関係を築けるタイプの人材が要求されており、そうした意味での人口を増やすことが求められているのです。

最後に統計的な数字としての「人口」

経済施策としての「人口」、地域振興施策としての「人口」にはそれぞれ意味合いがありました。ほかに多くの自治体が気にしているのは、商圏人口でも担い手人口でもなく、各自治体に住む、まさに統計上の「人口」です。これまでの話を踏まえると「結局、住んでいる人の数自体はあまり重要ではない」となりそうですが、人口減少に苦しむ自治体にとっては大きな意味を持っているのです。その答えは地方交付税にあります。

地方交付税とは、国が徴収する地方税で、自治体が持つ税収だけでは予算がまかないきれない自治体に対して、各自治体の財政力や人口規模に応じて配分されるものです。自治体間の格差を是正するために導入され、20兆円前後が各自治体の状況に応じて配分されています。

自前で税収が確保できて地方交付税の配分が不要な自治体のことを「不交付団体」と呼びますが、都道府県では東京都が唯一。その他の市区町村では比較的振れ幅が大きいものの、２０２３年度で77団体（東京都を含む）が不交付団体となっています。逆に言えば、46の道府県、１５００以上の市町村が自前で予算をまかなえていない、という状況です。実際に「三割自治」という言葉も生まれるなど、自治体の自主財源比率は予算額の半分にも満たない状態となっています。

結果として地方交付税なくしては地方の歳入は維持できないのですが、地方交付税を算出する計算式で一定の存在感があるのが、人口なのです。

統計上の人口には住民基本台帳（つまり住民票の数）での人口と、国勢調査（実際に住んでいる人の数）による人口がありますが、地方交付税の算出には国勢調査での人口が用いられます。特に小規模自治体では自主財源比率がさらに低くなっているため、地方交付税の上下が自治体財政に直結してしまう状態です。つまり、喉から手が出るほど地方交付税がほしい。そしてそこに効いてくるのが、国勢調査上の「人口」です。人口減少による影響というと「税収減」を挙げる方も多くいると思いますが、地方交付税がもっとも人口減少の影響を受けると言っても過言ではありません。

市町村税などほかの独自税収は経済活動の影響も大きいのですが、地方交付税は人口による影響が大きく、実際に「うちの自治体ではひとりあたりだいたい○万円増えるから……」という話を自治体職員から聞いたこともあります。まさに「人は金なり」といった状態ですね。しかし、私は地方交付税の確保のために「人口の確保を！」と叫ぶのは少しおかしいのではないかと思います。そもそも人口割で地方交付税を再配分することが正しいのか。あるいは国税と地方税の割り振りはこれでよいのかという、税の再分配方法の議論が必要だと思っています。

振り返ると、コロナ禍でいち早く休業補償を出せたのは東京都でした。なぜ東京都のフットワークが軽かったかというと、東京都が不交付団体であるということが大きな要因です。つまり、企業の本社機能を多く有する東京都は自前の税収が大きく、都の予算に余裕があるということなのです。ほかの道府県が国の支援を待たざるを得なかったのは、独自の財源だけでは予算を確保する余裕がないから。そのため、フットワークよく支出することが難しくなってしまうのです。東京都の税収が多いのは本社機能が多いからであり、地方で支出されたものが多く集まっている。全国規模で展開する企業などは各地の収益を東京に集め、東京で納税するため東京がひとり勝ちする、という構図になっています。そう考えるとやはり、税の再分配の検討は必要ではないかと思いますね。

「人口」でないなら、地域の再生とは何をどうすることなのか？

「人口」について考えてみると、政策と合わせて人口の意味を考えていく必要性が見えてきました。そして、協力隊になじむ「人口」は地域振興を目指したものとするならば、そもそも地域の振興とは何がどうなることなのでしょうか？

これまで地域がなぜ「衰退」したとされてきたのかから考えてみましょう。もちろん人口減少もあるでしょうが、地方における人口減少はこの10年、20年のトレンドというよりももう50～60年前からのトレンドです。なぜ地方の人口は減ってしまったのでしょうか？国家的な政策の影響だという議論や、日本人に昔からあるマインドセットだという議論もありますが、私はもう少し単純だと思っています。簡単に言うと、産業構造の変化に伴う人口の移動によるものです。

終戦直後くらいまで、日本の主要産業は農林水産業でした。当然人は産業の生産地域、この場合は全国津々浦々になりますが、そうした地域に居住します。それが戦後、高度経済成長期になると日本の産業構造は第一次産業から第二次産業中心へとシフトしていきます。第二次産業の生産地域は、地方都市や工業地域です。ですので、工場労働者となる若年層が農山漁村から地方都市へと移動していきます。そして、高度経済成長期以降は第三次産業へとシフトしました。サービス業は人に対するサービスですので、どうしても人口が多いほうが効率が上がり、ビジネスチャンスも増えます。

結果として大都市一極集中したと考えると、今地方が抱える人口減少の問題は、問題というよりも日本という国の構造変化、しかも成長に伴う構造変化による影響と言えます。これは各地域という単位ではどうにもならない話ですね。なので、私は地方における人口減少は国土レベルでの現象であり、地域が取り組むべき課題というよりも国土計画上の課題として国レベルでの対策が必要だ、と思っています。

地域の衰退感とは？　必要量と実際量のギャップ

産業構造の変化による人口減少と考えると、地域が悪いわけではなく別に問題なんてないようにも見えてしまうのですが、実際の地域には少子高齢化と人口減少によって大きな不安が渦巻いていています。

人が減ることは必然だとしても、地域の衰退感はなんとも寂しいし、実際に空き家が増え、若者が減り、地域でこれまでのように行事ができなくなってきて、集落が存続の危機にある地域も多くあります。もちろん、すべての集落が存続するのが正しいというわけではありませんが、少なくともその意思決定は地域がする必要があると考えています。しかし、実際の地域は衰退しているという認識から、なかなかこれからの集落の未来について考える機会を持てずにいます。

　では、この「衰退感」はどうして出てきているのでしょうか。下の図をご覧ください。縦軸に人口、横軸に時間を置いています。人口減少は社会減から始まり、徐々に自然減に移っていきます。地域の人口減少はまず転出によって急減し、転出予備軍が出きったあとは自然減によって徐々に減っていく、というのが基本的な流れです。ここに1本、線を加えてみます。「地域の維持に必要な労力」という線です。

　かつての地域社会は価値観も一体化していて、みんなで地域を管理していました。地域の共同作業は道路管理や水源管理、農地管理、お祭りの運営など、地域の自治活動は多岐にわたっていました。これは都市部でも農村でもよく聞く話ですが、「昔は人がいっぱいいた」と語る高齢者は多いです。しかし、少子高齢化のあおりでどん

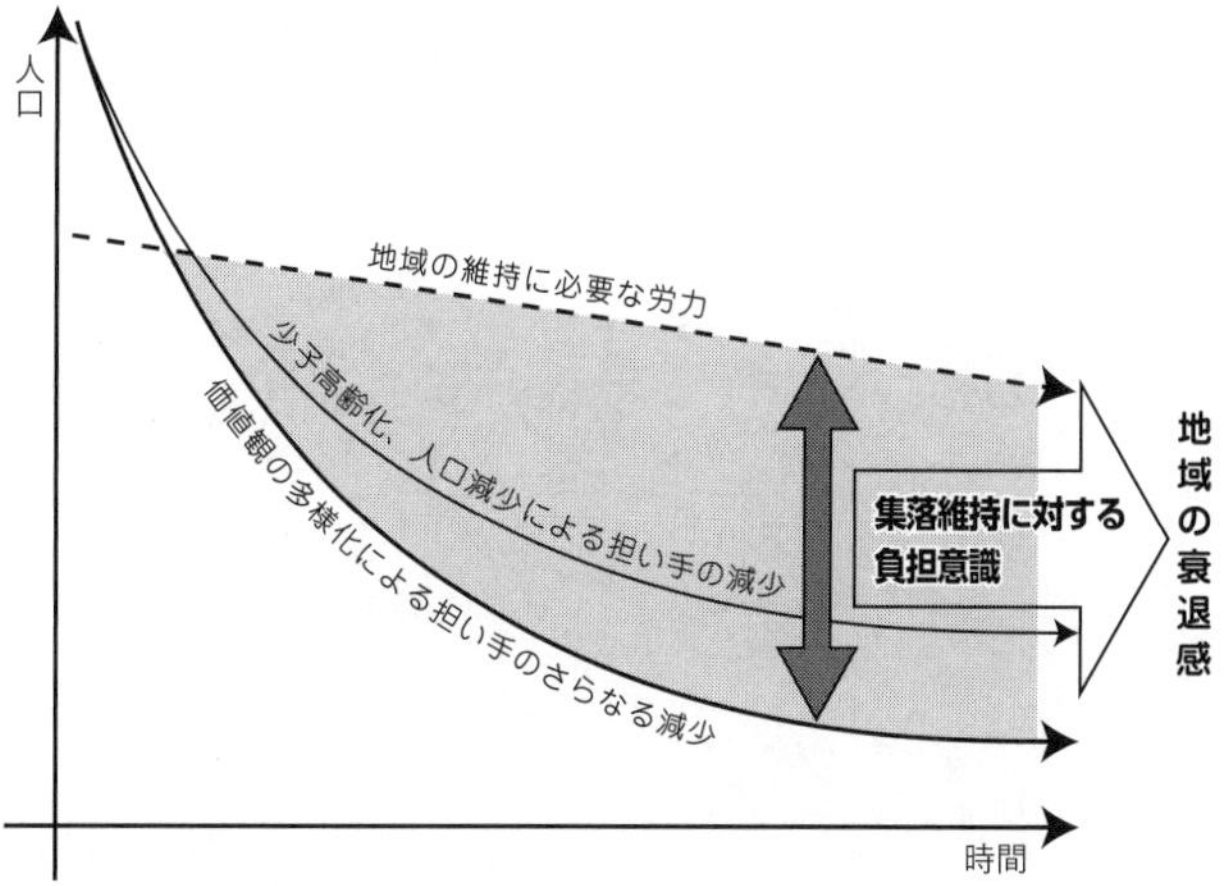

集落維持の負担意識

どん住民活動の担い手の数は減っていきます。

若年人口の減少はもちろんなのですが、最近は「価値観が多様化」した社会でもあります。当然、地域に暮らす若者の中にも、「地域コミュニティとはあまり関わりたくない」と主張する人たちが出てきます。昔はそれは許されなかったと言いますか、「村八分」にされてしまうこともありました。しかし現代は「価値観の多様化」を肯定する社会です。それを理由に村八分になんて、できません。つまり、人口の減少以上に担い手の数は減ってしまっている、というのが地域の現状です。

かつては「地域を運営するのに必要な労力」を人口が上回っていました。地域に行くと、「祭りで太鼓を叩けるのは名誉だった、抽選だった」とか「長男だけ参加できた」とかいろんな話を聞きますし、今でも地域の共同活動には各世帯から1名の参加がお願いされます。これらはよく考えてみれば「必要な労力」以上の人材がいたためのフィルタリングの工夫とも読めます。ところが、若年層の流出が始まり、いつしか「必要な労力」を「担い手の数」が下回ってしまうようになります。だったら地域は維持できないじゃないか、と思いますが、実際にはなんとか維持できています。

なぜかというと、少なくなった担い手の人たちがこれまで以上に頑張ってくれている、というのが現状です。たとえば、草刈りにしてもかつてはひとり20メートルくらいの道路の草刈りをすればよかったものが、いつしか若手だったらひとり100メートル分の草刈りをしているとか、消防団だったらかつては10年、15年ほどで引退できたものが、今や20年、30年という人がたくさんいます。彼らの協力なくして現在の地域の存続はなかったことでしょう。

ではこれでいいのかというと、そうでもありません。過剰に頑張る先輩たちを見ている「これからの担い手」の視点に立ってみると、彼らにはなかなか厳しい選択になりますね。「担ってしまったらずっとやらなくては」という思いもありますので、手を出しづらい。そういうことが進んでいくと、ますます頑張る人たちの負担は増していってしまいます。この負担感が、「地域の衰退感」だと言えます。

私は、地域づくりは何をするのかというと、このギャップを埋めていくことだと思います。地域の外から担ってくれるケースもあるかもしれないし、協力隊に限らず新たな移住者を受け入れてこのギャップを埋める仲間として協働してもらうのもありです。

一方で、このギャップを埋めることとはまったく関係のないところで盛り上がっている

〝地域づくり〟や〝地方創生〟も多くあり、それがもてはやされているのも現実です。地域の生活者の視点からすれば、「目の前にあるギャップを埋めずして何をする?」という感覚でしょう。

「自治の空白」とその穴埋め

地域社会で見れば、「ギャップの穴埋め」が重要、という話をしました。では、市町村単位や自治体のような地域で考える「地域の再生」とは何を「再生」させるのでしょうか?すこし硬い言い方になるのですが「地域の自治の再生」だと私は考えています。

「自治」とは基本的には「自らの地域を、自ら治める」ということ。いやいや、それは自治体の仕事でしょう、と思うかもしれません。ですが、自治体とは、結局自分たちの地域を治めていくために、税金によって自治をお願いしている組織です。つまり、全員ですべての自治業務をやるのは大変だから、地域の事務局機能を集めた税金を使って運営している、ということです。そのトップである市町村長は住民で決めましょう、というのも当然といえば当然ですね。

その中で今、行政組織が担う自治のことを「団体自治」、住民が担う部分を「住民活動」

と呼んでいます。地域という空間的広がりに対して、この団体自治と住民活動の双方が働きかけをして自治が成立してきた、と言えるでしょう。ところがそれが現在はどうなっているのかというと、団体自治のほうは行政の財政悪化が進み、衰退しています。2000年代の「平成の大合併」はそれまでの自治力強化を目指した「明治の大合併」「昭和の大合併」に対して、財政効率化を目指したことからもわかるように、少しずつ行政サービスを縮小していきます。

各地の様子を見てみると、やはり「平成の大合併」は行政と市民との距離を一気に離したと言えるでしょう。もちろん、都市部などではもともと行政と市民には距離があったので効率化やデジタル化の推進は問題ないと思いますが、地方での行政は少し意味合いが違いました。行政が地域と非常に近い距離感でコミュニケーションを取りながら協働してきたのです。ところが合併によって広域化してしまうと、それまでの親しさが遠のき、一気に事務的な関係になってしまいました。

住民活動はどうでしょう。こちらは先ほどの「ギャップ」のとおりです。少子高齢化によってますます小さく縮んでいきます。そうすると、かつてはオーバーラップしていた「団体自治」と「住民活動」のあいだには少しずつ隙間が空いていきます。これを私は「自治の空白」と呼んでいます。つまり、これまで通りの自治ができなくなってきていることが現実に起こっているということです。

たとえば、国道の中央分離帯。整備された当初はきれいに剪定されて管理されていましたが、自治体財政が苦しくなってくるとだんだん剪定の回数が減っていき、今では草の伸び切った9月にバッサリと、という管理の仕方になっていますし、街路樹が丸坊主にされてしまっている写真はあちこちで見かけます。農村部での公共交通を始めとした公共サービスの縮小も同じようなものでしょう。

現時点でも結構な空白が空いてしまっているのですが、この空白は残念ながら今後ますます大きくなっていく一方です。この空白の広がりこそが「地域の課題」であり、これを埋める活動こそが「自治の再生」だと私は考えています。

では、どのように空白を埋めるのかを考えていきましょう。まず、行政や住民の領域を復活させることはできないの？　というのが率直なところだと思いますが、ちょっと想像できませんね。行財政が劇的に回復する可能性も今のところ見えませんし、高齢化した住民のみなさんが突如としてパワーを回復することも難しい。今後行政は最終的なミッションとも言える「セーフティーネットの確保」に向かって少しずつ縮小を続けていくでしょう。住民のほうも人口減少、少子高齢化、さらに先ほども書いた価値観の多様化の流れも受けて小さくなっていきます。

この空白を埋める第一歩は、サイズの検討です。この空白のサイズは本当に妥当なのか。地域の来歴を見てみると、これまでひたすら人口が増えてきたこともあり、さまざまな行事や仕事を増やしてきた歴史があります。結果として多くの若者に居場所と出番が生まれ、地域社会が機能してきた。それが担い手の数が減っていくわけですから、担うもの自体も減らしていく必要があるということです。

たとえば、広大に広がった農地を全部維持し続けるのか。秋の収穫祭に向けて数多くある小さな儀式をすべて存続させるのか。伝統的な儀式は大切ですが、それにエ

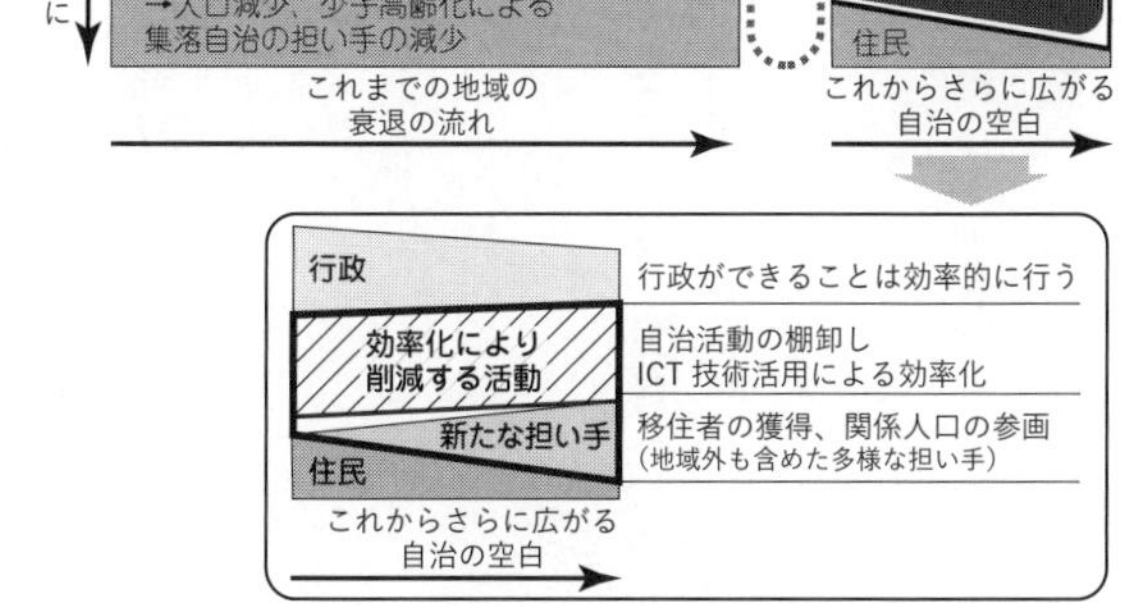

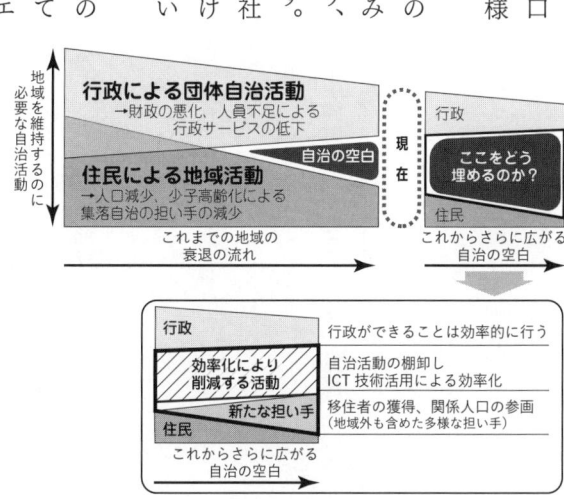

地域自治の衰退と自治の空白

ネルギーを割かれて本番の秋祭りの時点で疲れてしまっては本末転倒です。ほかにも地域には小さな習慣やイベントがたくさんあり、不文律もたくさんあります。すべてをやり続けるのではなくて、一つひとつ確認しながら不必要なものを外していって身軽になることも必要でしょう。ただ全体のパイを減らすだけでは埋めきれません。

残りの部分はどうするか。ひとつはＩＣＴの活用も視野に入れてよいかもしれません。過疎高齢化の進む地域でＩＣＴは無理！という声も多くありますが、すべてが無理ではないはずです。

先行事例として、「葉っぱビジネス」で有名になった徳島県上勝町《かみかつ》が挙げられます。過疎高齢化の進んだ衰退感のある地域でしたが、葉っぱを〝つまもの〟として出荷するようになり現在ではなんと国内シェア8割。この上勝町ではおばあさんやおじいさんがコンピューターを使って、葉っぱの受注をしています。パソコンを使ってプログラミングするところまでいくと流石に難しい部分はあるかもしれませんが、簡単なことでしたら高齢者でも使えますし、タブレット端末を利用すれば操作は極めて直感的です。

コロナ禍で人と人が直接会うということが難しい時期には、高齢者も積極的にスマートフォンを利用して、お子さんやお孫さんとコミュニケーションをとれるようになりました。つまり、必要性があれば人はいくつになっても技術を習得できるのです。

実際に地域で行われているパソコン講座などを見に行くと、参加者はあまり多くありません。でもよく考えてみると、その講座で教えている技術は本当に日常で必要なのかと思いませんか。パソコンのワープロソフトを学ぶとか、表計算ソフトを学ぶとか、ビジネスマンではない高齢者に必要かというと、結構疑問です。音声認識技術がだいぶ発達してきているので、タイピングもまた不要になる可能性もありますね。

ほかにも、生産したものを自分たちでネット予約やネット販売することも、アプリの使いやすさやデザインがもう少し高齢者に易しくなってくれば、現実味を帯びてくるでしょう。

もちろん生活のすべてをＩＣＴ化していこう、ということではありません。アナログが大事なところはアナログで、たとえば土いじりはしっかりしながら、遠く離れた友人との会話にはビデオ通話を積極的に活用していく、という暮らし方もありでしょう。

以前は過疎集落では、朝起きたら自宅前に黄色い旗を掲げることで遠くからも安否確認をできるようにする「黄色い旗」の取り組みがありました。それがコロナ禍前くらいでは、

ＩＣＴを使いましょうということで、電気ポットのスイッチが押されたことを感知して遠くの家族や知り合いが安否確認するという方法が世に出てきましたが、広がりはいまいち。おそらくボタンが押された事実はあるとわかっていても、顔が見えないためなんとなくの不安が残るわけです。でももし今だったらどうなるでしょう。毎朝気心の知れた仲間でビデオ通話をして挨拶してもいいかもしれません。黄色い旗を掲げるよりも、ポットのスイッチの挙動を確認するよりも、はるかに人間らしくありませんか？

コロナ禍というとどうしてもマイナスなイメージを持ちがちですが、オンラインツールが一気に普及したことで、これからの可能性を広げたと言えます。


次なる自治の空白の埋め方は、仲間集めです。最近は日本中の過疎地域で移住者の取り合いが続いています。人口が減少する中で、少しでも減少幅を減らすために移住者を獲得していこうという動きです。東京や大阪で開催される移住フェアでは各地がブースを出し、我が地域へ！　と熾烈な競争を繰り広げています。

しかし、移住の世界も少し不思議で、「ぜひ我が地域へ！」と呼びかけられるものの、いざ地域へ入ってみると周辺の人からは「なぜこんなところへ？」と言われてしまいます。

呼び込みばかりに注力する結果、移住後の生活の仲間となる集落の人たちが受け入れに消極的であったり無関心であったりすることがしばしばあります。ですが実際には地域の担い手は減少していますし、担い手は必要です。そこでのポイントは「担ってくれる移住者か」ということです。

各地の移住フェアに行くと「なぜ、移住してきてほしいのか」という話はほとんど聞きませんし、聞いたとしても「人口減少が地域課題だから」となります。移住をたくさん受け入れたいと一生懸命活動している割に、「移住者に何を期待するのか」についてはあまり整理されていません。地域としても不足した自治の担い手として移住者に期待するというスタンスであれば、移住してくれれば誰でもよいというわけではなく、ちゃんと地域活動に参加して協働してくれる人という条件が設定できるのです。

もちろんこうして移住してくれればベストですが、最近では「関係人口」とも呼ばれる、移住してくれなくとも地域の魅力の維持・発展に共感し、手伝ってくれる仲間や企業すら出てきています。

このように担い手の姿はこれまでの「住民」の枠を超えて広く広がっています。居住を前提とした「人口」にこだわらず、外部の担い手の力を借りながら、地域の効率化、ＩＴ化を進めながら、この「自治の空白」を埋めていくということが現代的な地域づくりの姿なのだろうと思います。

結局、外から多くの人がやってきていても、この「自治の空白」を埋めるという作業に参加してくれなくては大きな意味を持ち得なかったりするのです。

地域おこしとは地域自治の再生

ここまでの話で、なんのための「協力隊」か、なんのための「移住」か、なんのための「関係人口」か、明確にすることがとても重要だとおわかりいただけると思います。実際の地域の現場で、「なんのため」という議論はほとんどなく、地域課題である「人口減少」対策としてすべてが位置づけられている、というのが現状です。というのも、これまでも「まちづくり」や「地域づくり」「地域活性化」といった用語はプラスチックワードと言われ、都合よく自由に使われてきました。

都合よく自由に、ということ自体は地域の実情に合わせて柔軟に、という意味にもなりうるのですが、現実は「無頓着に」といったように、ほとんど深く考えられずに使われてきてしまったのが現状で、これは我々研究者たちにもきちんと定義してこなかった責任の一端はあるでしょう。

改めてきちんと定義すると、地域おこしは「地域の自治の再生に向けた取り組み」と位置づけるのがよいと私は考えています。もしくは「地域の状況改善に向けた取り組み」と言ってもいいかもしれません。状況改善というのは課題があってそれを改善する、ということですから、過去からの連続性の先にあります。歴史的な流れに組み込まれながら、現状分析をして改善の方向に向けて軌道修正する、ということだと捉えていただければよいかと思います。

そしてその先にあるのが「自治」です。ただ、これには「住民自治」ではなく「地域自治」という言葉をつけています。これからの自治は「地域」という空間に関連する人たちが「住民」という枠組みを超えてつながり、全体として動いていくというイメージです。そこには行政の関わりもありますし、住民の活動もある。さらには信頼関係で結ばれた関係人口の関わりもあるでしょう。「地域」という場に引き寄せられ、形成された人的なネットワークによって地域を運営していく姿、それを私は「ネットワーク型自治」と呼んでいます。

「ネットワーク型自治」の詳細については次章で詳しく書こうと思いますが、地域が惰性的に縮小していく縮小均衡の状態から、地域の人たちが主体的に地域の未来づくりに関与し、地域内外の多様な人びとにより、地域の自治が成立している状態を言います。その「ネットワーク型自治」のきっかけや伴走の役割として、地域おこし協力隊という立場は大いに期待されるのです。

地域の実態と支援施策

地域に伴走すると言っても具体的にどのように伴走するのか。ただ横を走っていればいいのではなく、状況状況に応じて地域に必要なプッシュをしていくことが必要になりますが、これも難しい課題です。

「地域支援施策」というと、それこそ地域おこし協力隊に代表されるような人的支援もあれば、それ以前から続いている「集落対策事業」もたくさんあります。国レベルのものから都道府県、市町村それぞれの単位で問題意識に基づいたさまざまな施策メニューが用意されています。ここで問題提起したいのは、このような多様な施策をどのタイミングで地域に入れていくかについての目安が示されていない点です。

たとえば協力隊にしても、まったく動きのないところに変化を起こすべく導入する協力隊と、一定程度地域づくりの活動経験がある地域にその取り組みを加速させるために導入する協力隊、かなり活動が成熟している状態で導入する協力隊では、求められている役割がまったく違うのです。考えてみれば当たり前なのですが、実際の地域では地域の状況把握をする枠組みや手法を持っていなかったり、そもそも職員が地域実態に精通していなかったりもするので、ズレが生じてしまうことが多々あります。そこで、ひとつ図をつくってみました。

大きな図なので、本書のカバー裏に載せました。ぜひ、カバーを外して広げながら、続きを読んでみてください。

この図は、以前総務省と協力隊についての意見交換をしていた際に、2章で紹介したような人的支援施策を地域づくりのフェーズや必要な支援策と合わせて整理してみたものです。地域づくりのフェーズの枠組みくらいは、と思って文献を漁《あさ》ったものの、地域づくりのプロセスがわかりやすく整理された資料を見つけることができなかったので、私のこれまでの研究をもとにまとめました。

まず、前にも書いた通り多くの地域は「縮小均衡」にあるのが現状です。長きにわたる縮退局面が常態化することで、変化を与えるきっかけを失っている状況です。まずはその均衡状態の打開から始める必要があります。そして均衡した空気を壊したあとは、小さなコミュニケーションを通じて、少しずつ地域のやる気を引き出していく。小さなやる気が成功することで主体性が芽生えていく。自信がつくということです。そして自信がついてきたらだんだん主体性が増していくことでしょう。ここまでを「状況づくり」と名付けています。

よくまちづくりの教科書などを見てみると、まずはワークショップなどで計画をつくりましょうと書かれているケースもあるのですが、縮小均衡状態にある地域のみなさんに「ワークショップを！」とか「計画づくり！」なんて言っても、ピンときません。これまでの雰囲気に慣れてしまっているので、わざわざ変化させるエネルギーをかけることに消極的になってしまう。なので、最初から計画ありきではなくて、まずは自信と主体性をつくり出す必要があります。

特に計画を考えるのはなかなか骨の折れることで、最初からこの難しい課題に取り組もうとすると、どうしても続かない。勉強と同じですね。いきなり勉強するぞ！と分厚い難しい問題集を目の前に広げても続かない。だったらクリアできる小さなハードルから少しずつ越えていくことです。

たとえば、新潟県の小千谷《おぢや》市で活動していた私の友人は、地域のおばあさんが昔卓球をやっていたことを知り、近くの廃校から卓球台を運び出し、地域の集会所に置いてみました。すると、地域のおばあさんたちはときには卓球台として、ときには作業台として、その台を使い始めます。東京から大学生がフィールドワークで地域にやってくると、その卓球台を利用して卓球交流をするようになりました。やがておばあさんたちは少しずつやる気を出し始め、農家レストランを開業するに至ります。このように最初は小さな思いの後押しだったものが、そこから発展して大きな成果に結びつくこともよくあります。

そして一定程度の自信と経験が身についたら、難しい「計画」にもチャレンジしていく、カバー裏の図でいう「仕組みづくり／体制づくり」のフェーズへと移行していきます。ここまでができたらもう立派な地域づくり活動ですね。ただ、その先には図にあるように「代謝を内包した持続性」が待っています。「代謝」とは新陳代謝のことで、人材の入れ替わりです。活動の持続にはメンバーの代謝が不可欠です。それは同じ組織内であるケースもあれば、組織ごと代謝していく（別のグループに置き換わっていく）こともあります。いずれにせよ活動の中で後発的な人たちが育っていき、やがて代謝していくことで活動が時代に合わせて変化しながら持続していくということです。もしそれぞれの段階に応じたサポートが必要で、そこに協力隊がフィットすれば導入すればいい。協力隊よりも集落支援員のほうが適しているのであれば、集落支援員でもいいですし、地域活性化起業人でもいい。

また、こうした支援は移行していくのではなく、重層化していくというのも大事なポイントです。地域の中にはさまざまな人がいます。変化に対して積極的に関与してくる人もいれば、一歩引いて静観している人もいます。アクティブで積極的な人たちだけに向けた取り組みばかりしていると、やがて地域の中に大きな温度差が生まれ、地域内の分断へとつながっていってしまいます。ですので、地域支援はプロセスに応じて移行していくのではなく、重層化させていく、ということが大切なのです。

第5章

地域自治の再生と人的支援の考え方

人的支援がもたらす影響の大きさ

人ひとりの存在の大きさ

地域づくりのフェーズごとに求められる支援内容が変わるということ、そして各フェーズでどのような人的支援が適しているかを紹介しましたが、そもそも「人的支援」はメニューこそ違っても、ずっと継続できるものとは限りません。

このような制度は公的な政策です。政策というのは政策転換によって止まってしまう可能性もあります。国家的な施策ですが、もちろん地方の選挙の影響も受けます。以前、とある自治体で過疎化の進む集落に子どもを連れて来てくれる移住者を集落支援員として受け入れたことがあります。休校中だった小学校を復活させて話題になったものの、次の選挙でそれに反対する候補が当選し、その集落支援員がいなくなる、という事態が発生したこともありました。

選挙というのはそれぞれの候補が自分の政策をアピールし、支持を得た候補が当選するのですから、それが民意だということにはなるのですが、行政の方針転換で一番大きな影響を受けるのは住民です。特に合併で広域化した自治体では、小さな集落への支援活動に自治体全体の理解はなかなか得にくいのも現実です。これまで頼っていたサポーターが突然いなくなってしまう。そうなると地域は手段を失うだけでなく、気力まで失ってしまうこともあるのです。

というのも、若い人が地域に入るというのは単純な〝戦力の獲得〟以上の意味があります。過疎・高齢化で若手がいなくなってしまった地域にとって、どういう仕組みを使ったかは別として、若い人が移住してくるということは大きな意味を持ちますし、子どもたちの声は地域に明るさをもたらすことも多々あります。都市部などでは「子どもの声がうるさい！」といった苦情が話題になりやすいですが、地域ではまだまだ子どもは広く愛されています。私の感覚では、高齢化した地域においては20代、30代の若者だって、子どものように大切にされている印象です。

おそらく地域の方々にとってコミュニケーションを積極的にとってくれる協力隊は「孫のような存在」なのです。そんな親しみを感じる協力隊と一緒になって地域を盛り上げていこうと考えていたら、突然広域化した自治体全体の民意として「不要！」と言われてしまう。寂しい気持ちだけでなく、心の灯火も消えてしまいかねません。

人口が減少して寂しくなっていく地域にとって、人ひとりの存在がとても大きい中で、協力隊本人や地域の意向ではない形で政策的に止められてしまうというのは、大きな失望を生んでしまいます。ただでさえ「諦め感」が漂いギリギリのところで踏ん張っている地域にとって、こうした出来事は心折れるタイミングにもなりかねません。特に過疎化の進む集落に対する人的支援はそのような大きな影響をもたらすものである、という認識を持つことがとても大切です。

人的支援はいつまで続ければいいのか？

では、それほど地域の人びとにとって大きな存在となる「人的支援」は一旦始めてしまったら、延々続けるべきなのかという話にもなるのですが、それも必ずしも適切ではありません。こうした外部人材によるサポートも、税金を原資としていますから、公的なサポートがないと持続できないということは妥当なのかどうか、という議論もあるでしょう。

もちろん、地域が持つ多面的な価値を鑑みれば、公的なサポートをし続けるという筋も通らなくはないのですが、基本的には「公的支援からの卒業」は重要だと思います。人的支援に限らず、公的な支援はもちろん大事なのですが、それに依存するようになってしまうと、なんだかおかしな話になってしまいます。公的支援を受けて活動をスタートし、やがて支援がなくなっていっても、きちんと持続できるような地域づくりを考えることが大切だと私は思います。

ちょうどリハビリの考え方に似ています。たとえば、足の骨を折って自分の力では歩けなくなってしまった人に対して、とても機能的な車椅子を提供するとします。これは支援としてはとても喜ばれるでしょう。ですが、自分の脚で歩けなくとも自由に何でもできるようになったら、その人は車椅子なしでの生活に戻りにくくなってしまいます。だから便利な機械を使いつつも、リハビリなどのトレーニングをしながら、自分の脚で歩ける状態を目指しますよね。地域づくりも似たようなものだと思っています。

人口が減ってしまって自信を失い、自らの力だけではなかなか元気を取り戻せない地域に協力隊のような外部人材が入ることによって、自信がつき、主体性が生まれ、やがて自分たちの力で地域を動かしていけるようになる。協力隊はこのプロセスの中で少しずつその役割をフェードアウトしていく。私はこれを「引き際のデザイン」と呼んでいます。有能でなんでもやってくれる協力隊が入ると地域はとても喜びますし、喜びや感謝を伝えられる協力隊自身も大きな達成感を得られます。しかし、それでいいのか？　その喜びは、適切な喜びなのか？　地域にとって有益な喜びなのか？　ということも考えていく必要があるでしょう。

協力隊それぞれの入口／出口、そして人的支援の出口

地域おこし協力隊の場合、よく「出口」が話題になります。移住支援の側面も政策的には期待されているので、任期終了後にどれだけ定住しているか、ということにも注目が集まっているのです。総務省のウェブサイトを見ると、各県の任期終了者の定住率が一覧化されており、見るからに「定住率を上げなさい」という圧力を感じます。

私としては「定住率なんて気にしなくていい」というのが本音です。これまでの内容を読んでいただければもうおわかりかと思いますが、結局定住したかどうかは協力隊本人の問題で、公共施策としては「地域がどうなったのか」のほうがはるかに重要なのです。そう考えると、もちろん着任して活躍してくれる協力隊それぞれの入口／出口も大切ですが、それ以上に地域にとっての人的支援の入口／出口もイメージしておく必要がありますね。

協力隊個人の入口／出口と、地域にとっての人的支援の入口／出口はどういう関係にあるのか、ということを考えてみましょう。

まずわかりやすいのは協力隊の入口と出口です。というのも協力隊の入口は着任したタイミングであり、出口は任期終了のタイミングです。任期終了の時点で、その地域に残るのか残らないのか、さらに起業するのか就業するのか、それぞれの人生設計もありますか

らどれが正解ということはありません。ただ、それぞれが結論を出す必要があります。

地域からすれば、協力隊員が残ってくれることを希望することでしょう。特に地域から愛され評価の高い協力隊員の場合には、任期の終了を見据えて地域の企業関係者たちが動き、蓋を開けてみれば地域のたくさんの事業所からお誘いがある、なんてことも多いようです。

結局協力隊として活動している3年間、地域側も協力隊を見極めていて、優秀であれば何かしらの形で残れるような段取りをしますし、中には行政に署名を提出して任期の延長をお願いする、という例もありました。協力隊という制度上の任期は3年で、それが終了したあとは国の特別交付税措置は受けられませんが、自治体が単独で予算を付ける方式であれば可能です。あるいは、自治体の独自予算の充当も難しい場合は、集落支援員に切り替えるという例もあります。集落支援員であれば任期も着任前の地域要件もありません。安易な移行は問題があるかもしれませんが、地域自治組織の事務局として継続的に機能してもらうために集落支援員となる場合もあります。

あるいは、起業を目指す協力隊の場合は協力隊としての活動がフルタイムであるとどうしても起業の準備にあてる時間が少なくなってしまいます。そのため、年次を経る中で勤務時間と給与を下げていくことで自身のプライベートな時間を増やし、スムーズな起業へと移行していく人もいます。協力隊が始まった当初は自治体側もこうした経験があまりなかったため、任期中に個人の起業準備を行うのは問題だという批判もありましたが、制度を上手に使いこなすことで、そのような懸念をクリアすることもできます。

一方で地域にとって、人的支援からの出口はどうか。ここが結構重要です。協力隊は任期3年が基本ですが、協力隊が着任して3年経ってすべての活動が軌道に乗りきるとは限りません。現実的に言えばゼロから始めて3年で活動を軌道に乗せていくことは、かなり難しいように思います。そうすると、協力隊のほうは任期3年の中で自分の動きをある程度デザインすることが可能ですが、地域側はそれも難しいでしょう。

また、それまでの地域が非常にスローテンポで動いてきたと想像すると、協力隊が着任して3年で物事を大きく動かすというのは突然のスピードアップとなります。そしてそれを本気でやろうとして住民の背中を強く押してしまうと、結果的に住民自身がほとんど動けない、ということにもなりかねません。結局住民の側もあまりに急な動きが起こると思考停止となって協力隊におまかせ、となってしまう。そうすると協力隊がどんなによい取り組みをスタートさせてもそれが住民側に移っていくことなく、協力隊だけの成果、となってしまいます。

先ほどの車椅子のたとえ話ではないですが、少しずつ住民の主体性を引き出していきながらバランスよく自らは引いていく、というスタンスが重要です。そして、それは3年という任期ではなかなか難しいため、場合によっては数代にわたる協力隊の活動の中で徐々に進めていく、という長い物語となることだって大いにありうるのです。

入口/出口を考える際には制度的な時間軸である3年というのは協力隊にとっては大きな意味を持ちますが、地域にとっては必ずしも妥当な時間軸ではないということです。では、どのくらいの時間軸で考えればいいの？　という話になりますが、それは10年、20年、時として30年をも超える長い物語になることのほうが多いかもしれません。この大きな地域づくりの流れの中に協力隊の多様な取り組みが効果的に組み込まれていくことが大事ではないか、と思います。協力隊という取り組みは政策的な地域支援ですので、いずれこの政策から卒業していかなくては、最終的に独り立ちできていきません。こう書くと非常に厳しく感じるかもしれませんが、地域からすると協力隊の活動が続くとそれはそれで、「協力隊支援に依存した状態」が均衡化、つまり常態化してしまい、地域の持続性を奪いかねないのです。

新潟県の中越地域に「地域復興支援員」が配置されたことは2章でふれましたが、「復興」という大きな施策の中に位置づけられているため、当然被災から一定期間が経つとその財源も含めて確保が難しくなります。それもあって復興支援員の任期は当初5年に設定されていました。復興支援員自身も自分が活動できる期間は5年という前提のもとでの活動でしたし、地域側も「5年経つと居なくなる」ということを念頭に置いていました。

すると、地域は、復興支援員が設置されている期間の5年という時間軸を自分たちの活動で一定の成果を出すための時間軸として設定し、協力隊の任期が残り1年半を切ったあたりから、「復興支援員の活動をどう

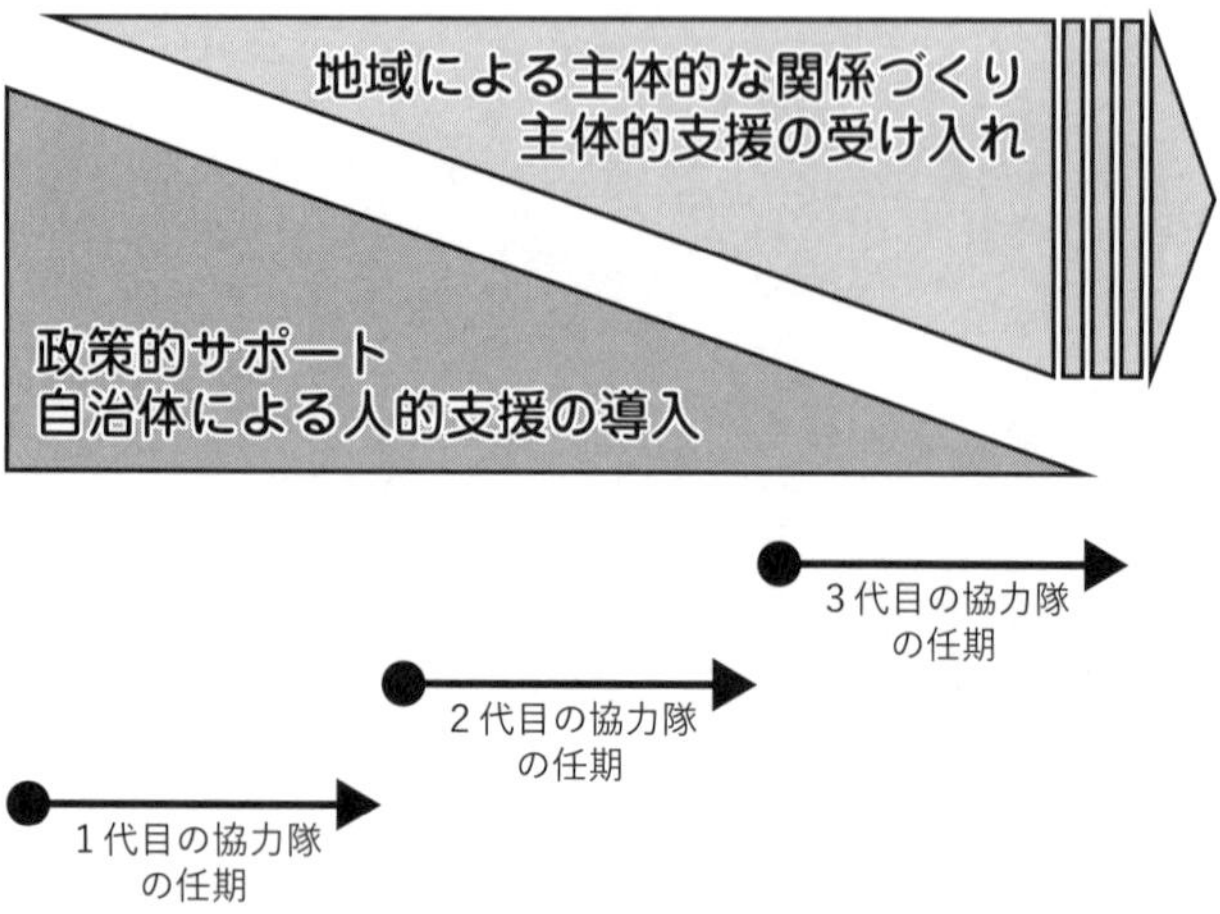

外部支援から内部主体へ

引き継ぐか」という議論をスタートさせる地域が出てきます。場所によっては新たにまちづくり会社を設立したり、公民館活動の拡充によってそれまで復興支援員が進めてきた取り組みを引き継いでいこうとしたり、という動きが出てきます。結果として復興支援員の任期は延長されましたが、地域側が積極的に復興支援員によって始まった活動を引き継いでいきました。

協力隊でも場所によっては雇用の受け皿としてＮＰＯ法人を設立したり、協力隊との協働によって地域自治組織が誕生したり、協力隊がその事務局に集落支援員として入ったりする、というのもよい例でしょう。どちらにも「人的支援に頼りっぱなしではいけない」という住民の意識があったからこそできたことだと思います。協力隊との協働を通じて、その意義を見出した地域がそれを主体的かつ持続的に引き継いでいく、ということは「地域おこし協力隊」という制度のもっとも重要な成果と言えるでしょう。

しかし、残念ながら昨今の協力隊の取り組みは、地域との協働活動にはあまり関心は向いておらず、どちらかというと、協力隊が始めた活動を協力隊自身が任期終了後も続けることが目標として設定されやすい傾向があります。確かにこの活動が公益的であれば「協力隊」としては問題ないのですが、地域の中に主体性が生まれなくては結局当事者の取り組みの枠を超えず、持続性もそこまで、となってしまいます。

縮小時代における地域の方向性と協力隊

そもそも協力隊制度が始まった背景として、大きな問題となっていたのが地域における人口減少や地域社会の衰退です。しかし、「人口」の捉え方はさまざまあることも説明しました。では地域において、少子高齢化や人口減少が今後も進む中で、どういう方向性を目指し、そこにどのように地域おこし協力隊が貢献できるかについて考えてみたいと思います。

「地域」という単位で見ると「人口」よりも〝担い手の数〟が重要であることは先にも書きました。つまり、〝人口減少〟そのものが問題なのではなく、人口減少が進むことによって、これまではできたことができなくなることが地域の衰退を誘発するわけです。その〝できなくなること〟は先に書いた「自治の空白」です。ゆえに、そもそも〝できなくなること〟の中にも、できなくてよいこと、できなくては困ることの両方があり、できなくては困ることをいかに持続的にできる状態で維持できるかが大きなポイントになります。

そのためには、地域に住む住民だけの力では限界があるので、外部の協力が必要。そこに協力隊が直接的に協力することはもちろんですが、協力隊との協働を通じて、外部人材との関係づくりのポイントを地域が体験的に習得し、協力隊を通じてつながった外部の協力者とよい関係を保ちながら協働して地域の〝できる〟を持続する、というのが理想とも言えます。

協力隊員は都市部からの移住ですから、地域側は身近なところに〝移住者〟が居て、移住者と協働できる環境から、自分たちがこれまで培ってきたものとは異なる価値観を持つ人たちへの理解を得られます。この理解を通じて少しずつ閉じていた社会が門戸を開き、多くの外部人材との交流を育むきっかけとなるのです。

そう考えると、協力隊の存在や協力隊との協働は地域にとっては地域外との付き合い方を習得する機会と捉えることも可能です。協力隊にも外部人材にもさまざまな人がいるので、全員が全員、地域と良好な関係を築くとは限りません。ただ、少なくとも協力隊を介した交流機会の創出は地域の受容性を高めることとなり、本書の冒頭で紹介したような〝炎上〟をすることなく、上手に外部人材と付き合っていくためには重要なステップとなります。

協力隊に「定住」は必要か？

このように地域おこし協力隊にはこれまで閉鎖的であったり、人の行き来の減少から結果的に閉鎖的になってしまっていたりする地域と外部をつなぐ、あるいはつなぎなおすための、触媒のような役割があることが見えてきました。このような触媒は当初こそ必要であれ、外部との交流の経験値を積んだ地域はやがて触媒を介さずとも自分たちのスタンスで継続的に、必要な外部とつながることが可能になってくるでしょう。

一方で、最近の協力隊には「定住」がミッションのごとく語られてしまっている状況もあります。先にも書いた通り、協力隊の本来のミッションは協力隊個人の定住よりも地域づくりの進展です。

もし仮に「定住」が最大のミッションだと考えたときに、協力隊任期3年の間に、毎年の報償費と活動費あわせて520万円、合計1560万円もの費用をかけて人ひとりの移住を実現することは税金の使い方として現実的なのか、ということを考えればわかると思います。にもかかわらず、わかりやすい「定住」ばかりに注目が集まり、移住者である協力隊も「定住するのか？」という問いを突きつけられ続けるのです。

これはなかなかしんどいことで、協力隊自身からすれば「そりゃあ、定住できるなら定住したいけど、現実的にそれができるかは任期が終わってみないとわからないよ！」というのが本音でしょう。そして、地域とよい協働活動を行った協力隊は、任期が終わったあとも地域との交流を続け、地域によい風や情報提供をし続けるものです。ここに「定住しなかったらダメ」「定住しなかったら失敗」「定住しなかったら裏切り者」という雰囲気が出てしまうと、定住しなかった人はなかなか地域との交流を続けられません。それに、「定住」以外の選択肢がないって、非常に窮屈だと思いませんか？

現実に、私たち日本人のライフスタイルも、定住しなくなってきています。地域にいる高齢者や役場職員などは定住が多いのかもしれませんが、現在のライフスタイルでは、高校卒業、就職、結婚、転職、子育てといったライフステージの変化とともに移動するようになってきています。昭和の頃のある種の目標でもあった「マイホーム」への執着はますます薄らいでいます。

そう考えると、これまでのように「定住」を前提とはせずにライフステージの中で上手に住む場所を変えていくのが、これからの一般的なライフスタイルとなっていくのかもしれません。

「住み継ぐ」という発想

私は研究者の仲間と『住み継がれる集落をつくる』（学芸出版社、２０１７年）、『少人数で生き抜く地域をつくる』（学芸出版社、２０２３年）という2冊の本を出しました。この本の中で議論していたことは、同じ人が地域に頑張って住み続けるのではなく、多様な人びとが地域という空間を住み継いでいく、という発想です。さまざまな移住者や外部協力者が地域と関わる中で、世襲的な人たちだけでなくもっと多様な人たちで地域を担っていく、地域に必要なのは担いたくなるような魅力をつくり出していくことではないか、ということです。

ただ「住み継ぐ」といっても簡単ではありません。外部からやって来つつも地域との協働を通じて相互に信頼しあえるような関係を築くことができる地域おこし協力隊のような、外部人材の存在がより重要になるのです。

今後も日本の総人口は減少していくので、地域でこれまで目指してきたような人口増加を目論んでも難しいですし、さらに価値観の多様化により人口が地域の活力を示さなくなっている今、地域に住む人の数が減っても、人が入れ替わっていったり、外部の力を借りたりしながら地域の活力を維持していく、という考え方が重要だと思います。

地域づくりの文脈の中で「住む」ということどうしても「定住」ということになりがちですが、もっと多様な関わり方を地域が理解するきっかけとして、地域外に出ていってしまった協力隊との関係づくりを位置づけると、もっと未来を前向きに考えることができますし、何よりも出ていく人に「これからもよろしく」と言え、さらに出ていった人たちも戻って来やすい関係になります。

これまで「住民」によって支えてきた地域を、地域との関係を持つ仲間とともに支えていく。このような考え方の転換を「協力隊」という外部人材でありつつも地域に深くコミットする存在との協働から理解していく。そして協力隊との協働を通じて地域外の多様な主体とつながっていく、ということも大きな意味があるでしょう。これまで長くメンバーシップのはっきりした社会であった農山村で生きてきた人びとにとって、地域外のさまざまな組織や人との関係性は荷が重いと感じることが多いのは当然です。

協力隊が着任するまでの地域にはなかなか地域を前向きに評価する人との出会いがなかったため、前向きに評価して移住してくる協力隊は当初は〝変わり者〟として捉えられがちです。これは協力隊員に限らず移住者全般に言えることで、「なんでわざわざこんなところへ?」と疑問を持たれます。しかし、協力隊を介して地域外との関係を持ち始めると、地域住民は〝変わり者〟だと思っていた協力隊と同じような考えを持つ人たちと多く出会うようになり、〝変わり者〟が〝地域を前向きに捉える人たち〟という属性に変わります。なぜなら、協力隊の都市部での人脈には、地域を前向きに捉えて関心を持っている人たちが多いからです。

こうなってくると、地域の側も少しずつ認識が変わっていきます。自分たちの地域を卑下する価値観は社会の一部であって、逆に肯定的な価値観も確実に存在することに気づくと自信と誇りが生まれ、それは主体性へとつながっていくのです。そして、自分たちだけで頑張らなくとも、地域に関心を持つ外部人材との協働や連携、あるいは引き継ぎによって地域が維持されていく、ということも現実味を帯びてきます。

協力隊個人による活動というよりも、協力隊の活動を通じた地域の変化、あるいは地域に出入りする人たちの変化を広く見ていくことが地域の持続を考える上で重要です。

「関係人口」も含めて、「地域自治」の再定義

これまでの〝住民〟による地域づくりが、〝地域に出入りする多様な人びと〟による地域づくりへ変化していくと、地域の様相は大きく変わってくる気がします。冒頭に紹介した

ような〝炎上〟もそのベースには相互不理解があるとすると、多様な人たちとの交流は、人の出入りが少ないことによる代謝の減少からどうしても価値観のアップデートが遅れがちな地域に、安定的に風を吹かせることになります。

地域で代謝が進むことで価値観のアップデートもしやすいですし、さまざまな情報やアイデアも入ってきます。2000年以降、技術発展も価値観の転換もものすごいスピードで進んでいる社会では、新しい技術や価値観と地域の人たちが出会う機会を、意図的につくっていく必要があります。その意味でも、人口減少によってまかなえなくなった人材を確保する上でも、良好な関係にある外部人材を、しかも多様な力を持った人たちを集められるかという中で、協力隊の存在は人材と地域をつなぐきっかけとなりえます。協力隊だけでなく、協力隊を通じた多様な外部人材を地域側が上手に活かすことで、双方にWin-Winの関係が生まれてくるのです。

「関係人口」という言葉がこの数年、急速に注目されていますが、関係というのは相互概念ですので片方が「関係したい」だけでは本質的な関係になりません。双方がそれぞれの役割を認識することで上手に関わり合う。そうなってくると、地域のことを大切にしながらも、多様な人びとがその維持・発展に貢献していく、という姿が想像できます。

下の図には地域に関わるさまざまな人の立ち位置が示されています。これまでは地域を担うのは地域の住人、という認識でしたが、実際には人の行き来は結構活発です。ですので、地域に住んでいなくても、たとえば比較的近くの通いやすい地域に住んでいる〝近居の人〟であれば、日常は近隣の都市部に住みつつも、必要に応じてすぐに地域にやって来ることができます。

　では東京や大阪などの大都市に出て行ってしまった人はどうか。そういう人の中にも、東京で地域の情報を発信してくれる人もいれば、休みに合わせて地域を訪れ、協力してくれるような人もいます。さらに遠く、たとえば海外にまで行ってしまった人もいるかもしれません。ですが、こういう人だって海外での経験をもとに

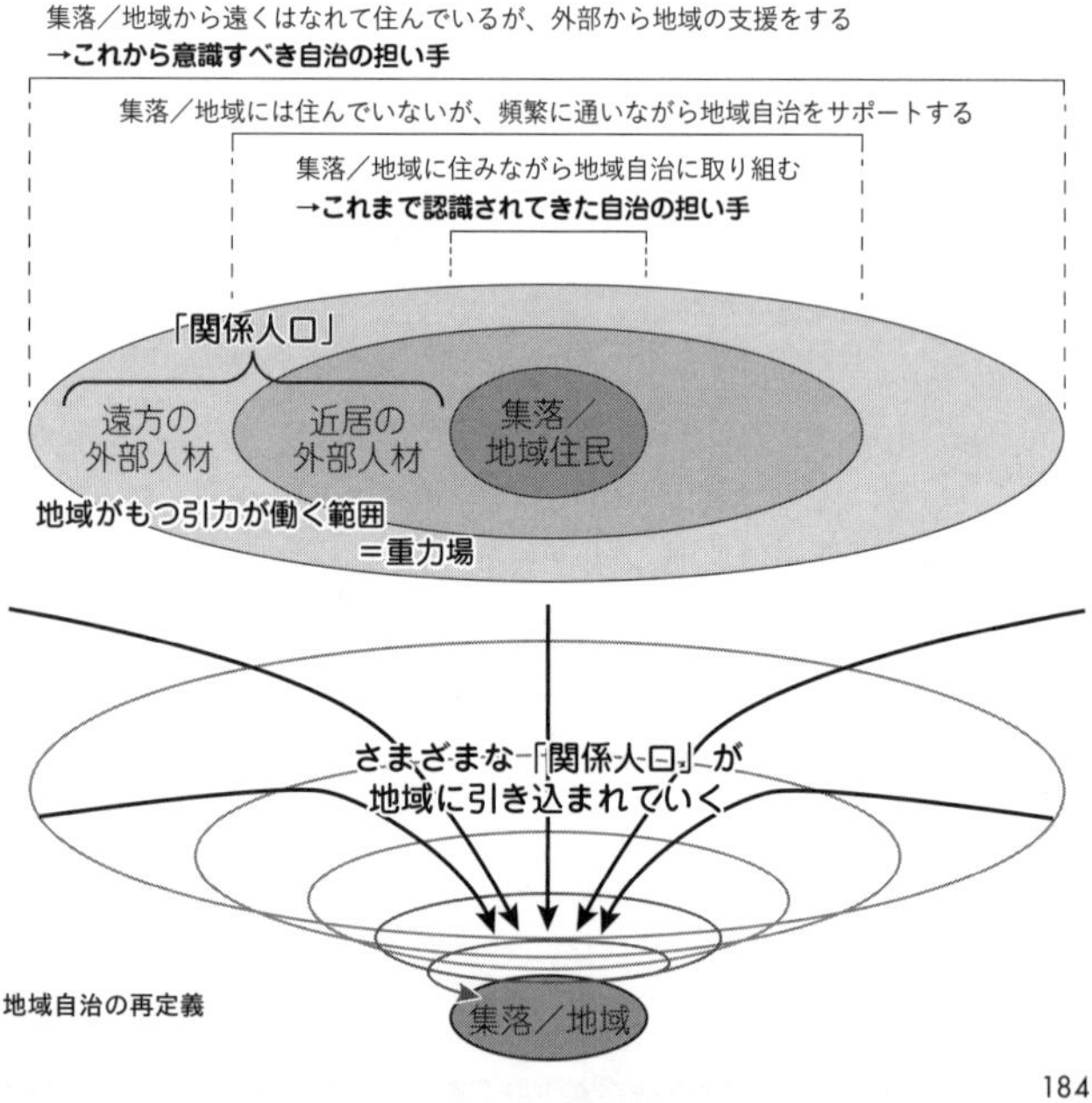

集落／地域から遠くはなれて住んでいるが、外部から地域の支援をする
→これから意識すべき自治の担い手
集落／地域には住んでいないが、頻繁に通いながら地域自治をサポートする
集落／地域に住みながら地域自治に取り組む
→これまで認識されてきた自治の担い手
「関係人口」
遠方の外部人材
近居の外部人材
集落／地域住民
地域がもつ引力が働く範囲 ＝重力場
さまざまな「関係人口」が地域に引き込まれていく
集落／地域

地域自治の再定義

地域に新しいアイデアを提供することができます。それを「住民であるか否か」という基準で決める必要はないはずです。それ以上に大事なのは「地域の人びとや暮らしを尊重してくれるかどうか」、ではないでしょうか。

そう考えると、これまでの住民中心の地域づくりから地域外も近居や遠方など状況に応じた地域との関わり方を地域側がイメージし、外部人材と共有していくことが大切です。またこれからも、地域からはさまざまな理由で転出していく人が多くいます。こうした人たちを「出ていってしまった人」として距離を取るのか、「離れていても、これからもよろしくね」といい関係を保つのかによって地域が持つネットワークは大きく変わってきます。地域から出ていく、というとネガティブなイメージを持ちがちですが、出ていく理由もさまざまです。当然、後ろ髪を引かれながら出ていく人もいるわけです。また、やむを得ない理由で出ていくけれども、出ていった先でも引き続き住んでいた地域に関わり続けたいという人も多くいると忘れずにいることは、地域にとっていい影響をもたらすことでしょう。

最近流行りの「関係人口」が、いまいち地域の閉塞感を突破できない理由のひとつに、地域の無関心があります。今や移住の受け入れが頭打ちになる中、多くの自治体が「関係人口の創出・拡大」へと舵を切りつつあるのに、です。それは移住と同様に「関係人口」に何を期待するのか、という議論が十分になされておらず、先に書いたような、地域から広がりのあるネットワークが構築されていないことが要因です。「関係人口の創出・拡大」をうたった事業の多くでイメージされている「関係人口」が、自治体による地域のPR対象であったり、あるいは移住予備軍としての営業対象となってしまったりしています。また、「地域課題解決を！」とワークショップなどを行うこともあるのですが、地域と関係のない人たちからアイデアを出されても地域としてはなかなか乗れません。

疑問に思うかもしれませんが、たとえば初対面の人に「あなたはこうしたほうがいい」と言われても、余計なお世話だと思ってしまいますよね。知りもしない人に突然自分のことに対して意見を言われても、あまりいい気はしないものです。一方で、古くからの友人から「あなたはこうしたほうがよいのではないか」と言われたときは、その場では突っぱねたとしても、その発言は頭に残ることがあります。この関係には暗黙の信頼があるからです。

つまり、外部人材が有効に機能するためには、地域との信頼関係がそのベースにある必要があるのです。これは現地に入り込む地域おこし協力隊にしても同じだったりします。外からやってきて、着任早々から「この地域はこうしたほうがいい」と強く言っても地域は反応してくれません。「地域のことなんて何もわかっていないのに、わかったような口をきかないでほしい」という思いがあるからです。

これは大切で、協力隊も着任したら「すぐにでも地域をよくしていくためのプロジェクトをしないと！　地域との協働が大事ならすぐにでも協働でプロジェクトを！」と思ってしまうのですが、地域との関係性ができあがっていない段階でいろいろ動いても地域としては困惑してしまうことも少なくありません。その性急さが軋轢を生み、炎上の一因になってしまうこともあります。私がこういう話をすると、どうなったら信頼関係ができあがったと言えるのか、その基準はあるのかと問われることもあるのですが、残念ながら明確な答えはありません。「地域」とは人の集合体で、その人びとのあいだにも多様な関係があります。ですから、「地域」や「地域の雰囲気」と一体的に捉えがちですが、それも幅の広い概念だと思ってください。

これまで、相互の助け合いで暮らしてきた地域の人たちにとって、信頼関係は極めて重要です。それが構築できていれば、地域に住んでいなくともできることはたくさんあるのです。「関係人口」も、ただ一度関係を結んだから「関係人口」と呼ぶのではなく、地域の方々が〝自分たちの仲間〟と認識するくらいの関係性にある外部人材をイメージすることが大事です。

私が学生の頃、1990年代には「交流人口」という言葉が盛んに使われていました。主として観光まちづくりの分野ですが、当時は観光が様変わりしていました。それまでの大型観光バスでやってきて、観光名所をめぐり、最後にお土産物屋さんでお土産を購入して帰るような観光から、マイカーで同じ地域にリピートしたり、長期滞在して地域と交流したりするような観光へと変化していったのです。

その中で「観光入込客数」と言われる観光客総体に対して、地域と交流する「交流人口」に関心が移ります。しかし、いつしか「観光入込客数」という言葉は使われなくなり、今や観光客数のことを「交流人口」と呼ぶようになってしまいました。そして、「交流人口」が生まれた頃と同じように地域との交流をイメージした「関係人口」が最近出てきました。もちろん1990年代とは社会背景がまったく違うので、まったく同じとは言いませんが、新しい理念が形骸化していく中で言葉も陳腐化していってしまったということです。ですので「関係人口を増やそう！」というのは新しい概念というより、原点回帰と考えてもよいかもしれません。

ただ、「交流」や「関係」というのもその評価は質的なものとイメージできるのですが、どうしてもふわっとした言葉で自由に使われていってしまうので、これまでと同じように陳腐化してしまう懸念もあります。

実はこのような「地域に関わる外部人材」という考え方の最初と思える概念の提唱は、1988年まで遡れると考えています。最初は、都市問題研究の大家《たいか》である磯村英一《いそむらえいいち》氏が「信託市民」（文献1）という言葉を使い始めました。さらに地域社会学者の小川全夫《おがわたけお》氏が農村でも「信託住民」（文献2）が必要だと提唱しています。私はこのふたつの言葉に共通して使われている「信託」という言葉に注目する必要があると思っています。

「信託」というと直感的には「投資信託」といった財テクのようなイメージを持ちがちですが、投資信託もまた投資会社に自分の資産を信託するわけです。この信じて託するというのは、強い信頼を意味します。地域が信託できるような外部人材を関係人口として位置づけ、こうした人たちと地域づくりを進めていく、ということが重要です。

地域における〝受容の幅〟

私はさまざまな人と協働して地域づくりを進めていく上で、これまで全国各地の「地域づくりの先進地」と呼ばれるような地域に出かけていって、それぞれの活動内容を聞いてきました。そして、そのたびに「素晴らしい地域だ！」と評価して〝しまって〟いました。そのことを、私自身が移住して強く感じています。

私が今移住して住んでいる地域も、地域づくりの取り組みをしてきており、いろんなストーリーが語られています。しかし実際に移住して、この地に昔から住んでいる土着的な人たちと交流していると、私たちがこれまで見てきた地域は、地域のごくごく一部でしかなかったことに気づいたのです。「地域づくり」というと、多くの参加が得られなかったとしても、少なくともその目標は地域に住むすべての人が幸福になっていくことだと思います。しかし、考えてみれば当然ですが、新しい動きに積極的に参加していこうというタイプの人もいれば、なかなかそういう動きに乗ってこないタイプの人もいます。

どちらかが正しくてどちらかが問題というわけではなく、そういう多様な人が同居しているのが地域コミュニティの性格なのです。しかし、私たち研究者は、それをわかりつつも一部の人の話ばかりを聴きすぎてしまっていた。そして、その背後にいる無数の「あまり積極的でないタイプの人たち」の存在を軽視してしまっていました。

下の図をつくってみました。一番上の色の濃い線は地域づくりが盛り上がっていく流れだと思ってください。ただ、地域の方全員がこの線に沿って盛り上がっていくわけではなく、ここで描かれている線に乗っている人たちは地域の中でも地域づくりに積極的な人たちです。ほかの人たちはこうした流れを「どんなものだろう？」と静観している人たちでしょう。決して抵抗しているわけではありません。一定程度、地域が動いてから徐々に盛り上がってくる慎重な人たちがいるのです。

そのため、地域の一部の積極的な動きばかりを後押しするような取り組みを続けると、地域はやがて地域づくりに積極的な人たちとその他の人たちの二極化が進んでしまいます。

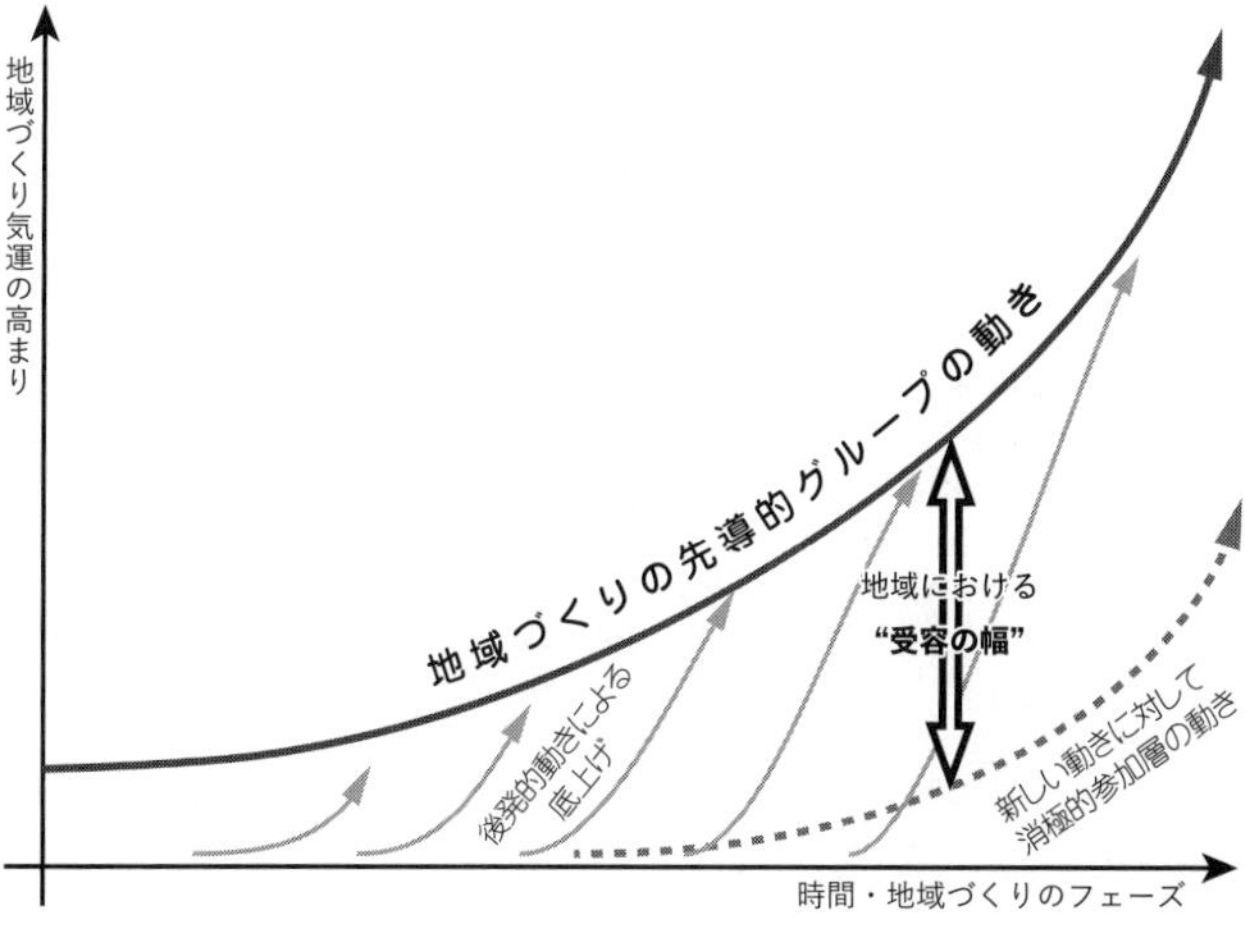

地域における"受容の幅"

実際、地域づくりの先進地に行くと、ときどき「一部の人たちの活動だよね」というちょっと冷めたコメントをもらうことがあります。しかし、行政も支援者も、「地域づくり」というテーマで出会う人たちは基本的に積極的な人たちとなってしまうため、どうしてもそうした人たちを後押ししてしまう。

また、上の線に当てはまる方々の動きはポジティブな話なので、注目が集まりやすいのも特徴です。ただ、実際にポジティブに活動している人たちはグイグイと前に自ら進んでいくタイプの人たちなので、彼らに必要なのはサポートではなくて規制緩和である場合が多い。特に過疎地域ではさまざまなサービスが撤退する中で、一部の担い手が多くの役を同時に担う必要があるにもかかわらず、一体的にやろうとすると法的な規制がその邪魔をしてしまったり、新しいチャレンジの障壁になったりしてしまうからです。

次に、図の下方に位置する点線に注目してみましょう。この静観している〝消極的参加層〟人たちは気になりつつも、新しい動きに参加していくことを躊躇してしまっている人や、その動きが自分の暮らしとどう関係があるのかがイメージできないため関心を持っていない人たちです。実はこちらのほうが、サポートが必要だったりします。地域の変化というのはそこに暮らす一人ひとりの気持ちの変化が重なっていくことで少しずつ変化します。つまりこの曲線も厳密に言えば、〝個人個人の気持ちの変化〟が積分されることによって描かれます。ですので、後発的な人たちに対しては初動的サポートを続けることで、気持ちの変化を起こし続ける必要があるのです。この部分を怠って、一番上の線に属する人ばかりをサポートしたり後押ししたりするとどうなるかというと、両者のあいだがどんどん広がっていってしまうのです。これは地域づくりを強く進める地域であるほど起こりやすくなり、溝が大きくなります。溝ができることで新しい参加者を獲得できず、もとのメンバーの疲れと同時に活動のエネルギーが少しずつ弱くなってしまう、ということが起きます。

活動の持続には人の循環が不可欠で、そのためには常に新しい人が入ってこられるように後発組の後押しが極めて重要になってきます。多様な外部人材との連携ということに対しても同様に、受容の幅があることを自覚して丁寧に関係づくりを進めていくことが大切です。

少人口／多人数社会におけるネットワーク型自治という未来

最近、私は「少人口／多人数社会」という言葉を意図して使うようにしています。社会がどうしても人口の増減に一喜一憂し、とにかく定住人口を増やすことに邁進している中で、人口が少なくとも、これまで書いてきたような信託的な関係にある外部人材を多く獲得していれば、地域の持続は十分可能だということを提示するためです。つまり住んでいる「人口」と、活動する「人数」は一緒ではないし、人口が少なくとも魅力的な地域には多くの外部人材が集まってくるということを伝えたいのです。

そして、これまで書いてきたことではありますが、地域を運営していく「自治」にも、これまでのように「住民」で頑張る形から、信託的な関係にある外部人材も含めたネットワークで支えていく形へシフトしていくことが大切です。

左ページの図をご覧ください。地域では、もともとその地域に住んでいる「土の人」が地域づくりを行う、地域の担い手として位置づけられてきました。しかし、外からの移住者など「風の人」が存在するようになったらどうでしょう？「風の人」が循環することで、地域に住んでいなくても信頼関係を築き協力してくれる人がどんどん増えてきます。そして、この外部支援者も含めて地域の担い手だと捉えることができれば、人口だけに縛られずに地域をよりよくしていくことができるのです。

もはや人はひとつの地域に定住するわけではなく、流動的ですし、オンラインのコミュニケーションも広く普及しているなかで、地域の運営に関することばかりは頑なに「住民」と言っていても現実的ではない。ならば前述したような信託的な関係によるネットワークで地域を維持していこうじゃないか、ということです。そうすると、転入や転出による人の入れ替わりは〝新しい仲間づくりの機会〟となり、ネットワークが広がるチャンスともなるのです。

地域から人が転出すると「出ていってしまった」とネガティブに捉えることがありますが、人の循環と信託的外部人材、新しい信託的関係づくりの機会と捉えると転出もまたワクワクする機会になると思いませんか？　そして、それ以上に大切なことは、地域に住ま

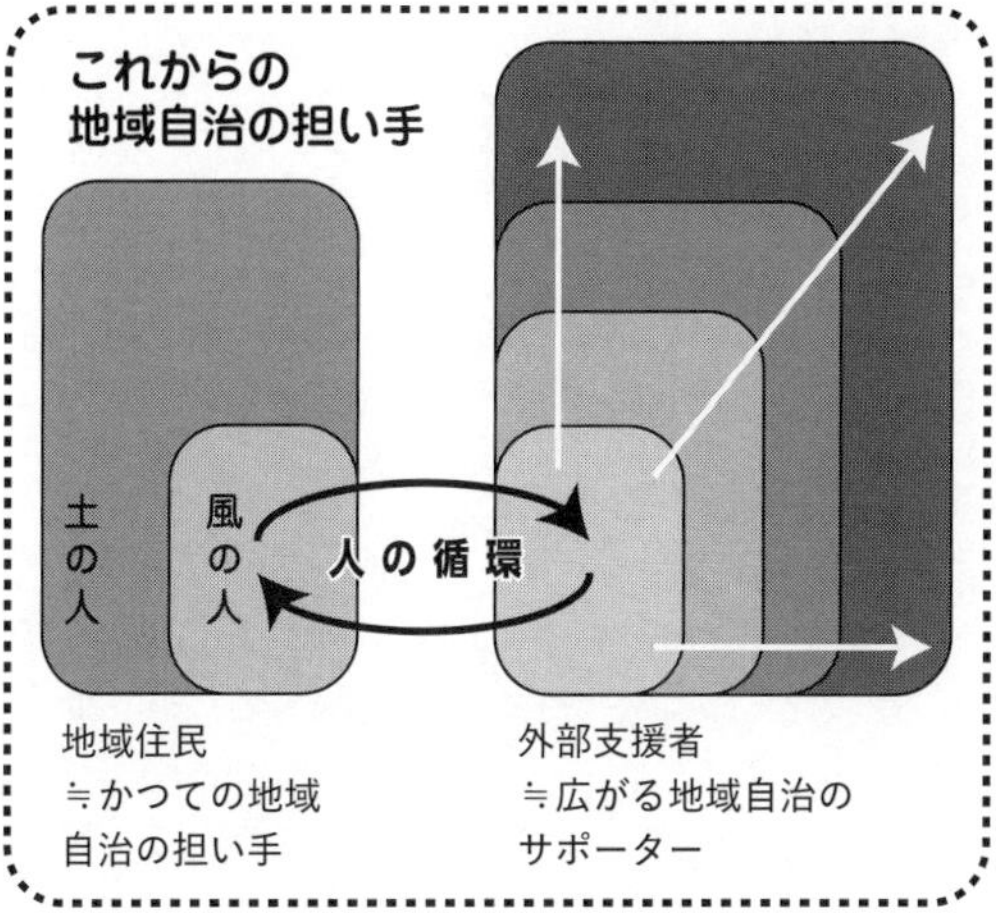

人の循環と担い手

う人たちが自らの地域に誇りを持ち、堂々と「ようこそ！　我が地域へ！」と迎え入れることではないでしょうか。

行政も移住フェアなど体外的なアピールの場では一生懸命地域の素晴らしさをアピールしてくれているのですが、実は地域に対して、つまり内側に対してはほとんど何もしていません。ですので、協力隊が着任してくると地域の人びとに「なぜこんなところにやってきた？」と言われてしまう。数ある募集の中から「ここだ！」と思ってやってきた協力隊にとっては非常に残念な言葉です。

もちろん協力隊とのコミュニケーションを通じて地域の自己評価が上がっていくことにはなるのですが、外向けアピールばかりでなく内向けのアピール、インナーブランディングも進めていく必要があるでしょう。外部人材との良好な関係のベースには地域の誇りがとても大切です。行政にはそこを頑張ってほしいですね。

地域に住む人たちが自らの地域に誇りを持ちながら、外部の多様な人材を上手に使いこなしていく、外部人材は地域に貢献することによって自己肯定感を高めていく。こういうような地域の運営の姿を「ネットワーク型自治」と名付けていますが、人口が減っても地域を拠り所に集まってくる多様な人材と上手に地域を運営していく、それを「少人口／多人数社会における「ネットワーク型自治」と呼び、これからの地域の姿なのではないか、と考えています。そしてこうした状況へと至るプロセスで特に大きな役割を発揮するのが、地域おこし協力隊と言えるでしょう。

協力隊へのサポート

これまで書いてきたように地域おこし協力隊は、人口減少に苦しむ地域にとっては救世主的な存在と言えます。ただ、実際は着任する協力隊も、受け入れる自治体も、そして地域もそこまでのイメージを持ちきれないままに導入や受け入れをしているのが実態です。協力隊にも、行政にも、サポートが必要なのです。

私も新潟県で「地域復興支援員」が活躍している当時から彼らへの研修を行ってきて、さらにそのノウハウを地域おこし協力隊へと活かしてさまざまな研修メニューを提案しています。ここでは、いくつか主要なものを紹介します。

①地域づくりコーディネート・ゲーム

新潟で地域復興支援員向けの研修をやっていた頃、事例を紹介すると「それはうちの地域とは状況が違うから……」という指摘をよく受けました。地域は千差万別で状況は違う。しかし、他地域から学べることもあるだろうと思って事例を伝えても、なかなか受け入れてもらえない。そんなことに悩んでいたとき、ふと思いついて一気につくったのがこの「地域づくりコーディネート・ゲーム」です。

　具体的な事例を提示すると「条件が違うから参考にならない」と言われてしまうのなら、いっそのこと仮想の集落を設定してそこに対してどういうサポートをしていくのが効果的か、みんなで考

地域づくりコーディネート・ゲーム

えるのがよいのではないかと考えました。そこで、一緒に研修を組み立てていた仲間にも協力してもらって、カードを引くことで集落条件が設定され、さらに追加でカードを引くことで地域に住む人材が設定される中で、どう地域づくりを動かしていったらよいのかというシミュレーションをする、カードゲームをつくりました。

仮想の集落なんて、と思われかもしれませんが、これが実際にやってみると結構リアルな話になっていくのです。おそらくは現場で活動している人たちが使うからこその臨場感もあるでしょう。多様な地域がカードによって設定される中で、誰にどう声掛けをして、どうリアクションをすることで地域が少しずつ変化していくのか。その連続の先に「自治の再生」を位置づけ、サポーターがど

地域づくりコーディネート・ゲームの様子

う地域をサポートし、地域の人材同士や人材と資源などを組み合わせる（＝コーディネートする）のが効果的か、ということを考える訓練になります。

２０１０年頃に最初のバージョンをつくってから少しずつ改良を加えていき、２０１８年についに販売できる形にまでこぎつけました。またコロナ禍で対面での研修が制限される中ではオンラインで実施する方法もできてきました。今では総務省による全国の地域おこし協力隊の初任者研修のメインプログラムとして使っているほかにも、社会福祉協議会向けや、ＪＩＣＡの海外協力隊（コミュニティ開発）では派遣前研修のツールとしても使われるようになりました。

②これまでのロードマップ／これからのロードマップ

地域おこし協力隊の中間段階での研修プログラムも作成しています。協力隊の場合、一定程度活動をしていくと、ふと「これでいいのか？」と不安に駆られることも多いようです。そこで、総務省では着任して2～3年目の隊員向けに「ステップアップ研修」をスタート、これはそのプログラムとして使っているものです。

実は「地域づくりコーディネート・ゲーム」とのつながりがあります。同じフォーマットで、片や仮想集落、片や実際の地域づくりの取り組みですが、どちらも地域づくりのプロセスを考えたり、振り返ったりするものです。

どちらもグラフの縦軸に「地域の元気・自治力」をとり、横軸に時間を置きます。そして実施してきた取り組みを通じて、地域にどのような反応があったのかを細かく記述していくのです。そして縦軸である「地域の元気・自治力」が上がっているのかを冷静に評価する。上がっていないとダメということではなくて、上がっていないならばどう軌道修正するかということを考えるツールです。

どちらも地域づくりのプロセスを同じフォーマットで視覚的に整理していくのですが、同じフォーマットに載せることで地域間での比較が可能になります。比較することでこれまで「事例紹介」という形で伝えてきたものが、より分析的なものになります。また、多くの地域では協力隊の活動評価に日誌などが利用されがちですが、文章だとイマイチ地域の変化が見えにくい。しかしフォーマット上に視覚化すると、たとえば協力隊の認識と担当職員の認識、さらには地域の認識のズレみたいなものも見えてきます。視覚化すると、たとえば協力隊としては「これだけ上がった」と思っているものに対して、担当職員から

「いやいや、そんなに上がってないよ」とか、「もっと上がっているよ」といった指摘も可能になりますし、もっと言えば「何をもって地域の元気が上がったと言えるのか」という議論になるかもしれません。この議論はとても大事で、その結末に「地域の目指す姿」が出てくるのです。なんとなくの活動報告ではなくて、協力隊の支援によって地域がどのように変化したのかをビジュアルで示すことはとても大切です。（文献3）

③各種研修

ここに挙げたふたつのプログラム以外にも、現在地域おこし協力隊向けにさまざまな研修プログラムが用意されています。ただ、研修にも地域差があり、研修が充実している地域もあれば不足している地域もあります。こうした研修機会は都道府県レベルでの開催となることが多いため、各都道府県の認識にも大きく左右されるのが実態です。

たとえば、同じ人材の受け入れではあるものの、協力隊よりも「移住」に力を入れているため、移住に関しては研修が充実しているけれど協力隊に対しては少ない地域もあります。最近ではサテライトオフィスの誘致やワーケーション、関係人口などさまざまな外部人材の受け入れ方法があることから、各都道府県がどのような取り組みに力を入れるかによって大きく差がついてしまいます。

総務省が主催する全国規模の大きな研修も多く開催されています。ただ、やはり全国規模だと定員がすぐ埋まってしまう傾向もあります。またこういった情報は各都道府県から市町村に流れて各市町村の担当職員から各協力隊員に伝わるまでのスピードや、地域のスタンスによって差が出てしまうのです。

もし仮にこれから地域おこし協力隊に応募しようと思っている読者の方は、自分が応募しようとしている地域の協力隊サポートの状況なんかも聞いてみたほうがよいかもしれませんね。最近では少なくなってきているようですが、地域によっては協力隊にあまり情報や知識を共有したがらなかったり、あるいはほかの職員との平等性の観点から協力隊の積極的な研修参加に前向きではなかったりする自治体もあります。

協力隊というのは、本人は都市から農村へ移住して、これまでとはまったく異なるコミュニティで活動するわけですので、心配事や不安も非常に多いものです。一方で、地域からは自治体が雇用したり契約したり設置の主体となっていることから、自治体職員と見られることもあります。行政組織からは「移住者」、地域からは「行政」と見られてしまう微妙な立場であり、さらには単独で活動している協力隊も多いので、研修機会はほかの職員との平等性という感覚ではダメで、積極的に参加してさまざまなアイデアや人脈、情報を得て活動していくことが大切です。

協力隊に対する支援組織

地域おこし協力隊に対する支援の必要性は、実は制度が始まった当初から言われており、2010年には「地域サポート人ネットワーク全国協議会」が設立され、研修会の開催など、協力隊のサポートをスタートさせました。私も設立に関わっており、この通称「サポ人ネット」が国の支援を受けて実施したものが、全国規模の地域おこし協力隊を対象とした研修では初めてのものでした。先に書いたようなプログラムも、ここで実施していました。

協力隊が始まった初期は全国で1000人程度だったこともあり、国レベルで実施する研修で十分だった部分もありました。ですが、隊員数が大幅に増加し、活動内容も多様化したことから、都道府県レベルでの研修でなければ、なかなか多くの隊員が参加できる場がなくなっていきました。サポ人ネットも事務局機能の維持の難しさから長くは続かず、全国規模の研修会は総務省やその外郭団体が主催するものとなっていきます（とはいっても、その中身や講師陣はサポ人ネットによる研修を踏襲しています）。

しかし、全国規模で実施する各種研修では隊員個々の細かなニーズや不安に十分対応することは当然難しい。その受け皿となったのが各地域にあるＮＰＯやまちづくり会社などで、こうしたまちづくり組織がサポートする例や、協力隊同士でネットワークをつくり自発的に情報交換する例も多く出てきました。

２０１５年には岡山県で協力隊ＯＢ、ＯＧによるネットワーク組織が立ち上がり、以降各地でＯＢ、ＯＧネットワークの設立が続くようになりました。そして２０２４年２月には解散してしまったサポ人ネットに変わり「地域おこし協力隊全国ネットワーク」が設立され、協力隊や自治体の情報共有や交流のプラットフォーム、あるいは協力隊導入地域へのサポート体制を強化しています。

行政へのサポート

地域おこし協力隊向けのサポートはさまざまな組織の設立もあり、充実し始めていますが、まだまだ十分とは言えないのが導入する行政へのサポートです。協力隊という制度は非常に自由度が高いと書きましたが、自由度が高いことから各自治体の裁量が大きく協力隊活動に影響します。言ってしまえば「地域おこし協力隊を活かすも殺すも行政次第」となってしまっています。

ところがその行政、特に協力隊を導入するような小規模自治体の場合、行政職員の数も多くない中で膨大な地方創生関係の業務をこなしていることもあり、職員は多忙を極めていますし、ひとりの担当者がほかの業務と兼務せざるを得ない状況も多くあります。しかも、行政職員は概ね3年程度で人事異動していくことが一般的なので、協力隊の任期中に担当職員が変わり、協力隊活動に大きな影響が出た、ということも多くあります。これはよい方向に変わることもあれば、悪い方向に変わることもある。つまり、担当職員が協力隊の活動をどう捉えているかによって、変わってしまうのです。

さらに協力隊が始まった頃は、自治体担当者が新しい制度が設立されることに気づいて、自発的に企画し、関係各所に説明しながら導入していることが多かったのに対して、広く普及していくと、なんとなく導入するという自治体も増えてきます。そうすると担当者は、そもそも協力隊が必要かどうかという根本的な議論を飛ばして、ほかの導入自治体の制度を真似しながら制度設計し導入に至る、ということが増えていきます。

移住・交流推進機構（JOIN）のウェブサイトを見ると、全国の地域おこし協力隊の募集が集約されているため、職員からすれば募集要項の雛形も簡単に手に入れることができます。地名などを自地域の情報に置き換えただけで募集しているのではないかと感じるような募集要項も少なくありません。そして、募集支援についても総務省がかなり手厚く支援していることから、特に検討を深めなくても募集できてしまうという実態ができあがっているのです。

サポートの充実は大切なのですが、手厚いサポートが過ぎてしまうと考えなくなってしまう、悪いパターンに陥っている自治体があるということです。そして、募集がある以上は応募があるのです。最近では全国で募集自体が多くあることから応募がこないことも多いようですが、深く考えずに募集している地域に協力隊が応募し、着任。結果として活動中にさまざまな問題が発生する、という構図は未だ多くあるように思います。

また、担当者によって変わっていきますし、自治体の政策的関心も変わっていきますので、継続的に募集している地域でも内容がよい方向に変化していくこともあれば、あまり好ましくない方向に変化していくこともあります。

こうした問題に対しても総務省は「地域おこし協力隊アドバイザー」を認定し、各自治体の募集企画や募集方法の検討の段階からサポートするという支援をスタートさせています。もし、これから「わが町でも募集するぞ！」というつもりで本書を読んでいる方がいらっしゃる場合は、ぜひアドバイザーとともにじっくり協力隊の趣旨や狙いを議論して詰めていってほしいですね。

支援や情報交換を通じて、「協力隊」を上手に運用する

多種多様な地域おこし協力隊、そしてそれを受け入れる自治体。よく考えてみれば、関係するそれぞれの人が単独でうまくやれるほど簡単ではありません。地域の状況に応じた協力隊の政策を各自治体が企画し、それに適した人材を協力隊として導入していく。そのためにはこうした取り組みに関心の強い者同士の情報交換や、先行して導入している地域の経験から学びながら、それぞれの地域に適した人的支援の方法や、妥当性を考えていく必要があります。

ただ困ったことに、協力隊に関係する自治体向けの会などによく参加していると、協力隊が悩んでいたり協力隊活動に疑問を感じていたりする地域ほど、こうした会には誰も出

席していない、逆に参加している地域はよく考えている地域ばかりという現実もあります。同様に、悩んでいるのにサポートを求めに来ないという協力隊も結構います。これから協力隊をさらに増やしていこうという中では、研修会やサポート体制をつくって「どうぞ参加してください」というスタンスばかりでなく、「大丈夫？」と支援する側から歩み寄るようなプッシュ型のサポートも強く進めていく必要があるでしょう。

それでも「この地域の協力隊活動は、公共事業として妥当なの？」という疑問を感じることも多くあります。実際に行政に訊いても「これでよいです！」、協力隊に訊いても「満足しています！」という回答で、問題ないとしてしまうのもよいのですが、冒頭に書いた通り、協力隊は公共事業として地域から見られていますので、当事者の満足度という指標ではなくて、「公共事業として妥当か？」という見方を忘れてはいけません。

私としては、そのあたりはぜひジャーナリズム、つまりは新聞などの報道機関が、協力隊を「地域で頑張る若者たちの活動」として取り上げるばかりでなく、「これは協力隊として妥当なのか？」という批評機能を持つことで、政策にも緊張感が生まれるのではないかと期待しています。

しかし、先日もある地方の新聞社から「協力隊が頑張っているから、ぜひコメントがほしい」と取材を受け、内容を聞いたところ、公共事業として見合った活動なのか？　と疑問を持つものだったこともあり、少々辛口のコメントをしました。すると、私のコメントは最終的に紙面に掲載されることはありませんでした。「前向きな記事にしたい、という趣旨で先生のコメントは掲載しないことになった」と連絡をいただいたのですが、非常に残念です。

一見明るい話題に見える協力隊の活動も、公共事業としての視点ではどう見えるのか。多様な意見を交換する必要があるのに、前向きな話ばかりに終始し、否定的なコメントは載せない、ということでは議論は生まれません。事例を見守る立場の人たちは批評的なスタンスも忘れてはいけないのです。

そして、批評されることで常に議論が生まれ、結果として協力隊も地域も行政も満足していくような協力隊が全国に1万人もいたら、日本の農山村はさらに元気になっていくのではないか、と期待しています。

地域おこし協力隊というのは、これまでのようなカチッとした制度というよりも、人を送るぬくもりのある地域支援だと考えていただくことが大事で、それであるがゆえに乱暴に扱うのではなく、人間的に考えていくということが大切です。そのためにも常に多角的な批評や議論が必要になるのです。

こうした制度が全国の小さな地域を少しずつ盛り上げていった先には、日本の明るく、豊かな農村の姿が浮かび上がってくることと思います。

文献1　磯村英一『東京遷都と地方の危機』、東海大学出版会、1988年11月
文献2　（財）農政調査委員会『中山間地域における農業・地域振興の課題』、1990年3月
文献3　田口太郎「地域における人的支援の人材育成プログラムの開発」、『日本建築学会技術報告集』、19巻、42号、719－724ページ、2013年

おわりに

「地域おこし協力隊」がスタートして15年が経ちました。これまでも「地域おこし協力隊の成果と課題は？」という問いかけや、原稿依頼を多く受けてきましたが、その度に「協力隊によって、地域での活動や暮らしが、都市の人たちにとっても身近になった」ということを第一に言ってきました。

私が初めて日本の過疎地域に出かけたのが１９９８年。当時の若者の多くは大都市や海外に目を向けていました。田舎を志向し、頻繁に出かけていくような若者はちょっと変わり者、という雰囲気でした。しかし移住ブームも相まって、今では都市部の人たちも「地域おこし協力隊」の存在を普通に知っていますし、移住希望者の職業選択として「協力隊」という選択肢ができたことは、昨今の「田園回帰」の動きを加速させることに大いに寄与したと思います。

そして、地域おこし協力隊という制度はただ人の移動を後押ししたばかりではありません。都市部の前向きでクリエイティブな人たちが地域と出会うことで、地域が歴史的につくり上げてきたポテンシャルでもある地域資源を現代的に発信し、多種多様な価値や元気をつくり出してきました。それまで人口や経済の振興に中心が据えられていた地域振興施策が「地域の元気」という一見よくわからない物差しを意識するようになったことにも、協力隊という存在は大きく影響していると思います。

協力隊の活動が紹介される新聞や雑誌の記事を見ると、満面の笑みを浮かべる協力隊と地域住民が並んで写っている写真を見ることも多くありますが、この笑顔こそが協力隊が地域にもたらした大きな成果だと思っています。もちろん、特産品や商品の開発や、協力隊が起業することによる新しい産業の創出など、多くの具体的な成果はあるのですが、それらすべてのことも、この「地域住民の笑顔」をつくり出すということにつながっていくのです。

これまでひたすら転出が続き、自信を失いかけている地域と協力隊のコラボレーションは、地域の自信と誇り、さらには主体性をも育みました。元気を取り戻した地域は、協力隊を通じてつながった外部の人材や組織と上手にネットワークを形成しています。人口が減ってもしっかり自分たちの地域を守り、暮らしの持続性をも再獲得していく、という未来を勝ち取っていく。そんな新たな発展を遂げる地域もこれからどんどん出現していくのではないでしょうか。もちろんすべての地域が持続することが正しいとは言いませんが、すべての地域が自らの地域に自信と誇りを持っている、というのはとても素敵なことだと思いませんか？

ただ、地域を取り巻く状況はよい話ばかりでもありません。2024年5月24日、人口戦略会議による「令和6年・地方自治体『持続可能性』分析レポート」が発表され、10年前のいわゆる「増田レポート」に続き、再び「消滅可能性自治体」のリストが公開されました。10年前は「地方がなくなるのか」という衝撃とともに地域に重い空気をもたらしました。そして、その衝撃がその後の「地方創生」の動きや移住者獲得競争へとつながっています。

「人口」は、一見わかりやすく感じるものの、よく考えれば考えるほどその扱いが難しいものなのですが、そのわかりやすさゆえに、「では、移住者を！」と日本中の地域が競争を始めました。しかし、地域住民の関心は薄く、さまざまな軋轢も発生してしまっていることは、本書でお示ししたとおりです。

今回発表されたレポートでは、前回よりは減ったものの、744の自治体が「消滅可能性自治体」とされ、脱却した自治体は「出生率の向上につながる対策の結果」としていますが、多くの論者から「子育て世帯の取り合い」に発展することが危惧されています。「移住者獲得競争」もより先鋭化していく、という懸念です。しかしこうした地域間競争はこれまでの結果でもわかるように、結局東京一極集中という前提の中で少ないパイの取り合いとなってしまいます。

さらに、先にもふれた能登半島地震からの復興に対して、財務省の諮問機関である財政制度審議会財政制度分科会は「能登半島地震からの復旧・復興に当たっては、地域の意向を踏まえつつ、集約的なまちづくりやインフラ整備が必要」とし、「地域の意向を踏まえつつ」としながらも「集約的なまちづくり」を提唱しています。こうした指摘は都市から人口減少に苦しむ地域に対する集約圧力となってしまい、結果的に地域に住まう人びとの復興意欲をも削いでしまう可能性があるのです。

20年前に発災した新潟県中越地震では地震によって大幅な人口減少をしつつも元気を取り戻す集落が多くありました。統計的な数字の独り歩きは、地域の質的状況とは無関係に地域に強い圧力をかけてしまう場合があることを心に留めておいてください。

本書で取り上げた「地域おこし協力隊」はよくも悪くも、「増田レポート」に端を発する人口減少への危機感とともに急拡大し、多くの成功とともにさまざまな課題も残してきました。課題を乗り越え、よい面をより発揮させることで人口減少に苦しむ地域でも明るく未来を描くことができると思います。

地域おこし協力隊には、本書の冒頭で取り上げたようなさまざまな「炎上」があるのも事実ですし、問題がまったくないわけではもちろんありません。しかし、これも地域活動と同じように、問題が少しでもあったらダメということではなくて、小さな問題を小さな段階から発見し、その対策を考え、共有していくことで制度や各地域での運用実態を育てていく、ということも大切ではないでしょうか。

「炎上」させてしまえば、瞬間的な注目は集まりますが、すべてが壊れてしまい、どこにも幸せは生まれません。さらに言えば、たとえ「炎上」してしまったとしても、その事実をきちんと評価分析し、改善につなげていければ、それはそれで長い地域づくりの文脈の中で、「あれが転機だったね」と振り返ることもできると思います。

よく「成功事例を教えてほしい」「失敗事例から学びたい」という要望をいただきます。

ただ、私からすれば「成功」「失敗」と言っている時点で、思考停止の始まりです。地域おこし協力隊の取り組みには「成功」も「失敗」もありません。あるのは「成果」と「課題」なのです。どんなにうまくいかなくとも、「これは地域の協力や理解が得られない」とわかるということだって大事な成果です。

あるいは一見成功している事例にもさまざまな課題があります。それを「成功」「失敗」と決めつけてしまうと、100点か0点か、という二元論となってしまいます。

現に注目を浴びている地域には大量の視察団が訪れ、「横展開」するために同様の取り組みに対する補助事業も始まります。ただ、参照される地域にとってはそれが必ずしもゴールというわけではなくて、長い地域づくりの歴史の中の〝現在〟という一断面に過ぎないのです。そして、この現在も突然現れたのではなく長い活動の積み重ねの上での〝現在〟であり、その〝現在〟をほかの地域の人びとがひょいと持ち帰って実践してもなかなかうまくいかないものです。

私の師である早稲田大学の後藤春彦《ごとうはるひこ》先生（副総長・理工学術院教授）から教えていただいた言葉に「地域遺伝子」という言葉があります。「地域」というのは突然つくり上げられたのではなく、太古の時代からその地に関わるさまざまな営みが遺伝子のようにつながり現在に至っているという考え方で、非常に腑に落ちるものでした。

そう考えると、他地域の事例をそのまま持ってくるということは無計画な移植のようなもので、どうしても拒絶反応が出てしまう。大事なことは、地域それぞれが持つ〝遺伝子〟を解読し、フィットしやすい手法を内発的につくり上げていくということでしょう。西洋医学的な処方よりも、東洋医学的な体質づくりのようなことを考えていく必要があると思っています。


地域はその運営のため常に人に関わり、人びとの関わりあいが地域性を育んでいきます。そしてそこに人びとが関心を向ける地域の価値があるとも言えます。協力隊も地域住民も行政も、それぞれの立場から「地域をもっとよくしていきたい」ことは明確なのですから、それぞれがそれぞれの立場や考え方を尊重しながら、よい落とし所を探っていくという取り組みを実直に続けていくことが、一見地味ではありますが将来的なみんなの幸せをつくり出していくことだろうと思います。

人口が減少し、若い人が減っていく中で、地域は自信を失いかけていましたが、協力隊との協働は多様な可能性を地域に提示してくれています。当然うまくいくこと、うまくいかないこと、両方ともたくさんあるかもしれませんが、こんなにもたくさんのアイデアを思いつき、実践してくれる協力隊は地域にとっては貴重な存在です。

ですので、地域のみなさんにも、協力隊のみなさんにも、一度関係がこじれたらおしまい、ということではなく、ズレが生じたときほど腰を据えてじっくりと話し合っていただきたいと思います。それまで暮らしてきた環境が違うのですから、それぞれのよいところを上手に組み合わせていくためにも、お互いがお互いをよく理解し、折り合いをつけていく、ということが大切です。


協力隊に限らず、さまざまな人的支援が各地で進められています。これを安易に「人がいないから外部から呼ぼう」としてしまうのか、「外部から来る風と地域の持つ資源を上手に組み合わせていこう」と思うのかで、未来の姿は大きく変わってきます。

そして、地域の状況に応じて柔軟に対応できるようなフレキシビリティも兼ね備えているのが、協力体制度のよいところです。よく「自由度が高すぎるから、おかしな導入事例が出てくる。もっと縛るべきだ」という意見も聞きますし、発足当初は私も多少その必要性を感じなくはありませんでした。しかし、政策として縛ってしまうと自由を奪ってしまうし、柔軟性も損ねてしまう。結果的に、これまであったような紐付き補助金のようになってしまいます。人を送るという施策ですから、「人」に注目する以上、みな同じというわけにはいきません。

だからこそ、徹底的に「人」を信頼し、それぞれを大事にすることで、より際立った人的支援にしていくことができるでしょう。しかし、当然問題がある事例はこれまでも、そしてこれからも出てくると思われます。それをどう防ぐか、あるいは発生したときにどのように対処するのかが重要です。

私は政策の中で縛りを設けるというよりも、社会的な批評が重要だと考えています。つまりジャーナリズムです。本書の読者の中には報道に携わる方もいらっしゃるかもしれません。自分たちが見ている地域で活動している地域おこし協力隊をどのように評価するか。単純に地方における移住者と地元住民の交流の姿を報道するだけでなく、時として「これでよいのか？　公共性とは？」といった批評が今以上に必要だと感じています。

批評を通じて、その地域における地域づくりは何を目指していくべきか、という議論が生まれ社会に広がっていくことが、結果的に協力隊の活動をデザインし、さらには地域の未来も明るくしていくと信じています。

本書執筆のご依頼をいただいた年、2023年は地域おこし協力隊が活動する領域でさまざまな軋轢が社会的に拡散される「炎上」がたくさんありました。これを負の出来事としてしまうよりも、これをきっかけに再度「公共事業としての地域おこし協力隊」をきちんと考え直していけば、長期的にはよかった、と言えるのではないでしょうか。

これまで協力隊関係の書籍では事例紹介が多かった中、本書はひとりの研究者による書き下ろしです。当然、批判もあることと思います。しかし、協力隊が活動するような人口減少地域で暮らす生活者としての視点も含めて、批判して終わりではなくて、今一度それぞれの活動を振り返る機会としていただければ幸いです。

なお、本書に書かれている理屈や主張は、田口独自のもので、協力隊制度を運用する総務省と必ずしも一致するものではないことを付記しておきます。

実は単独で本を一から書き下ろすのは私にとっては初めての経験で、昨年ご連絡をいただいてから、星海社の栗田真希さんには大変お世話になりました。栗田さんがご自身の移住の経験を踏まえて私の考えに共感してくださったこと、背中を押してくださったことで、自分の考えを書き下ろすという自信を得ることができました。また、時として厳しく締め切りを設定してくださったことで、大幅に遅れることなく書き上げることができました。改めて感謝の意を表します。

さらに、年度末の多忙な中で本書を執筆することとなり、執筆作業は毎晩の深夜作業となりました。そのしわ寄せが家族にもいっていたかと思います。支えてくれた家族に感謝します。

そして、本書に書いた多くの主張は私がこれまで出会い、議論し、励ましあったたくさんの地域おこし協力隊や関係者のみなさま、研究者の仲間たち、そして地域で暮らす友人知人たちとの数え切れない議論の結果とも言えます。改めて感謝の意を表します。本書を通じて、少しでも地域おこし協力隊で苦しむ人が減り、笑顔が増えることを切に願っています。

2024年5月　田口太郎

「地《ち》域《いき》おこし協力隊《きょうりょくたい》」は何《なに》をおこしているのか？ 移《い》住《じゅう》の理《り》想《そう》と現《げん》実《じつ》

二〇二四年 六 月一七日 第一刷発行

著者 田口太郎《たぐちたろう》

発行者 太田克史《おおたかつし》
編集担当 栗田真希《くりたまき》

発行所 株式会社星海社
〒一一二-〇〇一三
東京都文京区音羽一-一七-一四 音羽YKビル四階
電話 〇三-六九〇二-一七三〇
FAX 〇三-六九〇二-一七三一
https://www.seikaisha.co.jp

発売元 株式会社講談社
〒一一二-八〇〇一
東京都文京区音羽二-一二-二一
（販売）〇三-五三九五-五八一七
（業務）〇三-五三九五-三六一五

印刷所 TOPPAN株式会社
製本所 株式会社国宝社

アートディレクター 吉岡秀典《よしおかひでのり》（セプテンバーカウボーイ）
デザイナー 鯉沼恵一《こいぬまけいいち》（ピュープ）
フォントディレクター 紺野慎一《こんのしんいち》
校閲 鷗来堂《おうらいどう》

ISBN978-4-06-536028-6
Printed in Japan

299
SEIKAISHA SHINSHO

次世代による次世代のための

武器としての教養
星海社新書

星海社新書は、困難な時代にあっても前向きに自分の人生を切り開いていこうとする次世代の人間に向けて、ここに創刊いたします。本の力を思いきり信じて、みなさんと一緒に新しい時代の新しい価値観を創っていきたい。若い力で、世界を変えていきたいのです。

本には、その力があります。読者であるあなたが、そこから何かを読み取り、それを自らの血肉にすることができれば、一冊の本の存在によって、あなたの人生は一瞬にして変わってしまうでしょう。思考が変われば行動が変わり、行動が変われば生き方が変わります。著者をはじめ、本作りに関わる多くの人の想いがそのまま形となった、文化的遺伝子としての本には、大げさではなく、それだけの力が宿っていると思うのです。

沈下していく地盤の上で、他のみんなと一緒に身動きが取れないまま、大きな穴へと落ちていくのか？　それとも、重力に逆らって立ち上がり、前を向いて最前線で戦っていくことを選ぶのか？

星海社新書の目的は、戦うことを選んだ次世代の仲間たちに「武器としての教養」をくばることです。知的好奇心を満たすだけでなく、自らの力で未来を切り開いていくための〝武器〟としても使える知のかたちを、シリーズとしてまとめていきたいと思います。

2011年9月

星海社新書初代編集長　柿内芳文

SEIKAISHA
SHINSHO